suhrkamp taschenbuch 2446

Das Amsterdam der fünfziger, sechziger und siebziger Jahre ist Schauplatz dieses Romans. Inni Wintrop will auf seiner Toilette Selbstmord begehen, »weil er in seinem Horoskop für ›Het Parool‹ prophezeit hatte, seine Frau werde mit einem anderen durchbrennen und er, der ja ein Löwe war, würde dann Selbstmord begehen. Es war eine treffende Prophezeiung.« Doch wie der Tod so spielt, der Strick reißt. Mit neuer Aufmerksamkeit beobachtet Inni die Menschen in ihrer Stadt. Er beobachtet die Rituale, die Hilfskonstruktionen, mit denen sie versuchen, der verrinnenden Zeit, dem Gaukelspiel der Erinnerungen, der persönlichen Geschichte den Anschein des Sinnvollen zu geben. In *Rituale* legt Cees Nooteboom heiter und melancholisch Zeugnis ab von der weltschaffenden, welterzeugenden Kraft seines souveränen, leichten wie philosophischen Erzählens, seiner Fähigkeit, das Sein zum Schein und den Schein zum Sein zu verwandeln; und in diesem Sinne schreibt Rüdiger Safranski über ihn: »Vielleicht gibt es einen narrativen Gottesbeweis. Ich habe Cees Nooteboom im Verdacht, daß er mit ihm liebäugelt.«

»Die Qualität von Nootebooms Schreiben ist wahrhaft hinreißend. Nicht nur stimmen seine Figuren und die mit böser Phantasie ausgedachten Geschichten, nicht nur ist seine These klug, bedenkenswert und existentiell beunruhigend, sondern auch sein Stil ist einzigartig intelligent.« *Neue Zürcher Zeitung*

Cees Nooteboom, geboren 1933 in Den Haag, lebt in Amsterdam und auf Menorca. Seine *Gesammelten Werke* liegen in neun Bänden im Suhrkamp Verlag vor; zuletzt erschienen *533 Tage. Berichte von der Insel* (2016), *»Ich hatte ja tausend Leben«. Ein Brevier* (st 4715) und *Briefe an Poseidon* (st 4494).

Cees Nooteboom
Rituale

Roman

Aus dem Niederländischen
von Hans Herrfurth

Suhrkamp

Titel der Originalausgabe:
Rituelen
Copyright © 1980 Cees Nooteboom, Amsterdam/
B. V. Uitgeverij De Arbeiderspers, Amsterdam

Umschlagfoto:
Anne-Marie Hochkeppler &
Edith Schmitt/Uschi Nakaten Art Productions, Düsseldorf

9. Auflage 2016

Erste Auflage 1995
suhrkamp taschenbuch 2446
© der deutschsprachigen Ausgabe
Suhrkamp Verlag Frankfurt am Main 1985
Suhrkamp Taschenbuch Verlag
Druck: CPI – Ebner & Spiegel, Ulm
Printed in Germany
Umschlag: Göllner, Michels, Zegarzewski
ISBN 978-3-518-38946-1

Niemand ist im Grunde toleranter als ich. Es gibt Gründe, alle Meinungen zu vertreten; nicht daß meine nicht sehr entschieden wären, aber ich verstehe, daß ein Mensch, der unter Umständen gelebt hat, die den meinen entgegengesetzt sind, auch gegensätzliche Auffassungen hat.

Stendhal, Entwurf zu einem Artikel, 1832

1 Intermezzo
1963

Und allen Plänen gegenüber begleitet mich die Frage: »Was soll der Unsinn?«; eine Frage, die überhaupt ganz und gar von mir Besitz zu nehmen droht.

Theodor Fontane

An dem Tag, als Inni Wintrop Selbstmord beging, standen die Philips-Aktien auf 149,60. Der Schlußkurs der Amsterdamer Bank hielt sich auf 375, und Scheepvaart Unie war auf 141,50 gesunken. Die Erinnerung ist wie ein Hund, der sich hinlegt, wo er will. Wenn Inni sich überhaupt an etwas erinnerte, dann war es das: wie die Börsenkurse standen, daß der Mond in die Gracht schien und daß er sich in seinem WC aufhängte, weil er in seinem Horoskop für »Het Parool« prophezeit hatte, seine Frau werde mit einem anderen durchbrennen und er, der ja ein Löwe war, würde dann Selbstmord begehen. Es war eine treffende Prophezeiung. Zita brannte mit einem Italiener durch, und Inni beging Selbstmord. Ein Gedicht von Bloem hatte er auch noch gelesen, aber welches, das wußte er nicht mehr. Der Hund, dieses eigenwillige Tier, versagte in dieser Hinsicht völlig.

Sechs Jahre zuvor hatte er genau dort an der Prinsengracht, auf den Stufen des Justizpalastes, eine Nacht vor seiner Heirat, ebenso echte Tränen geweint wie Zita, als er sie in der Valeriusstraat, in einem Zimmer voller Frösche und Gewürm, entjungferte. Der Grund war der gleiche: dunkle Vorahnungen und eine unergründliche Angst, an seinem Leben irgend etwas zu verändern, sei es auch nur durch ein Zeichen oder eine Zeremonie.

Er liebte Zita sehr. Insgeheim, nur bei sich selbst, nannte er sie die Prinzessin von Namibia. Sie hatte ja schließlich grüne Augen, glänzendes rotes Haar und eine zarte, rosige Haut, – alles Merkmale des namibischen Hochadels. Und sie konnte eine stille, zurückhaltende Verwunderung zeigen, die in allen Provinzen Namibias als eine wahre Tugend der Aristokratie galt. Zita liebte Inni vielleicht sogar noch viel mehr. Schiefgegangen war alles nur, weil Inni sich selbst nicht liebte. Natürlich gab es auch Leute, die behaupteten, es komme daher, daß beide so blödsinnige Namen hatten, doch sowohl Inni (Inigo nach dem berühmten englischen Architekten) als auch Zita (die Mutter der Prinzessin von Namibia war eine Anhängerin des Hauses Habsburg) wußten, daß der fremdländische Klang ihrer Namen sie über den Rest der Welt erhob und von ihm fernhielt. So konnten sie ganze Stunden im Bett verbringen mit Inni Inni Zita Zita, und bei besonderen Gelegenheiten auch mit samtweichen Varianten, wie etwa Zinni, Ita, Inizita, Zinnininita und Itizita, Paarungen von Namen und Leibern, die sie, wär's nach ihnen gegangen, ewig hätten fortdauern lassen. Doch es gibt nun einmal keine größere Feindschaft als die zwischen der Gesamtheit der Zeit und einem ihrer willkürlichen, abgesplitterten Bruchstücke. Das ging also nicht.

Inni Wintrop, jetzt schon recht kahl, dazumal aber mit einem für die Zeit langen und eigenwilligen goldenen Haarschopf, unterschied sich von vielen seiner Altersgenossen dadurch, daß er die Nacht nicht allein verbringen konnte, ein bißchen Geld besaß und mitunter

Visionen hatte. Des weiteren handelte er auch mal mit Gemälden, schrieb Horoskope für »Het Parool«, kannte viele Gedichte der niederländischen Literatur auswendig und verfolgte die Börse sowie den Warenmarkt genauestens. Politische Überzeugungen, ganz gleich welcher Richtung, betrachtete er als mehr oder minder gemilderte Formen der Gemütskrankheit. Und für sich selbst hatte er in der Welt den Platz des Dilettanten im italienischen Sinne des Wortes reserviert. Das alles, von seiner Umgebung als Widersprüche aufgefaßt, wurde in Amsterdam, je mehr die sechziger Jahre sich entfalteten, immer schmerzlicher fühlbar. »Inni lebt in zwei Welten«, sagten seine sehr unterschiedlich veranlagten Freunde, die selbst nur in *einer* Welt lebten. Doch Inni, der bereit war, zu jedem Zeitpunkt des Tages sich selbst zu hassen, – auf Befehl, wenn's sein mußte, – bildete hier eine Ausnahme. Hätte er je eine Ambition gehabt, er wäre bereit gewesen, sich als Versager zu betrachten. Aber er hatte keine und sah das Leben wie einen Klub, der sich ein bißchen merkwürdig ausnahm, dem man nur zufällig beigetreten war und aus dessen Mitgliedsliste man sich ohne Angabe von Gründen streichen lassen konnte. Er hatte schon beschlossen, aus dem Klub auszutreten, falls die Zusammenkunft zu langweilig werden sollte.

Wie langweilig aber ist Langeweile? Oft hatte es den Anschein, als sei dieser Zeitpunkt schon da. Inni lag dann tagelang auf dem Fußboden, den Kopf in die marternden Kerben der chinesischen Rohrmatte gedrückt, so daß schachbrettförmige Muster auf seiner ziemlich zarten Haut entstanden. Schwelgen nannte

Zita das, doch sie begriff, daß es echter Seelenkummer war, was da aus einem tiefen, unsichtbaren Quell emporbrodelte, und sie pflegte Inni an solchen trüben Tagen, so gut sie konnte. Meistens endete das Schwelgen mit einer Vision. Dann reckte Inni sich aus den Folterungen der Matte hoch, winkte Zita heran und schilderte ihr die Gestalten, die ihm soeben erschienen waren und was sie von sich gegeben hatten.

Seit der Nacht, in der Inni auf den Stufen des Justizpalastes geweint hatte, waren Jahre vergangen. Zita und Inni hatten gegessen und getrunken und waren gereist. Inni hatte durch Nickel Geld eingebüßt und durch Aquarelle der Den Haager Schule Geld verdient. Er hatte seine Horoskope geschrieben und Kochrezepte für »Elegance«. Zita hätte beinahe ein Kind bekommen, aber diesmal konnte Inni seine Angst vor Veränderungen nicht zügeln und befahl, den Zugang zur Welt, die ihn selbst letztlich auch nicht interessierte, abzusperren. Damit hatte er die überhaupt größte Veränderung besiegelt, nämlich daß Zita ihn verlassen würde. Inni bemerkte davon nur die ersten Schatten: Ihre Haut trocknete ein, manchmal sahen ihre Augen an ihm vorbei, und sie sprach seinen Namen weniger oft aus. Aber er brachte diese Zeichen ausschließlich mit ihrem Schicksal in Zusammenhang, nicht mit dem seinigen.

Es ist eine Eigenart der Zeit, daß sie später so kompakt erscheint, als ein unteilbarer, massiver Gegenstand, als eine Speise mit nur *einem* Geruch und nur *einem* Geschmack. Inni, dem die Ausdrucksweise der modernen

Poesie vertraut war, bezeichnete sich zu dieser Zeit gern als »ein Loch«, als einen Abwesenden, als jemanden, den es gar nicht gibt. Er meinte damit, im Gegensatz zu den Dichtern, nichts Bedeutsames. Es war für ihn eher ein sozialer Kommentar zu der Tatsache, daß er mit den verschiedenartigsten Menschen umzugehen verstand. Ein Loch, ein Chamäleon, jemand, in den man alles einsetzen konnte, ob Haltung oder Akzent, das war ihm völlig gleichgültig. Und Amsterdam bot alle Möglichkeiten für Mimikry. »Du lebst nicht«, hatte sein Freund, der Schriftsteller, einmal gesagt, »du läßt dich ablenken«, und Inni hatte das als Kompliment aufgefaßt. Er fand, daß er in einer Eckkneipe seine Rolle genausogut spielte wie in einer Aktionärsversammlung. Lediglich die Haartracht und die Kleidung waren mitunter ein Problem. Doch als in diesen Jahren ganz Amsterdam chamäleonartig wurde, als man im Hinblick auf die Kleidung schon im voraus die klassenlose Gesellschaft verkündete und es nichts mehr ausmachte, wer wann und wo was anzog, erlebte Inni die glücklichste Zeit seines Daseins, – sofern in seinem Leben von so etwas überhaupt die Rede sein konnte.

Bei Zita war das anders. Selbst die unüberschaubaren Reserven von Namibia erschöpfen sich. Es gibt Frauen, die so treu sind, daß nur eine einmalige Untreue sie vor einer sicheren Katastrophe retten kann. Inni hätte das vielleicht durchschauen können, doch irgendwo in dem unteilbaren Kuchen der unauffindbaren Zeit hatte er aufgehört, auf Zita zu achten, und, was noch schlimmer war, durch alle Schatten und Vorzeichen hindurch schlief er, während er sie allmählich vergaß, immer öfter mit ihr, so daß Zita ihre Liebe langsam, aber gründlich diesem immer seltsamer werdenden Mann entzog, der sie, obwohl er sie aufgeilte, streichelte, leckte und fertig werden ließ, mitunter tagelang gar nicht bemerkte. So wurden Inni und Zita zwei vollendete Lustmaschinen, schön anzusehen, Zierat der Stadt, Traumbilder auf den Parties von Haffy Keizer und Dick Holthaus. Wenn sie allein war, blieb Zita schon noch ganz gern vor einem Schaufenster mit Kinderbekleidung stehen. Dann erschauerte sie vor verborgener Rachsucht, und zwar meistens dann – das kann nur der große, platonische Elektronenrechner sehen, der alles einspeichert –, wenn Inni sich in irgendeiner europäischen Hauptstadt in einer schlampigen Bude von einer Hure oder einem Teenager in Niethosen verarzten ließ oder wenn er irgendwo an einem Spieltisch einen Coup landete, indem er sechsmal hintereinander »banco« rief. Dem behutsam näherschleichenden südländischen Mann, angelockt durch den raublustigen Zug in dem weißen, von rotem Haar umrandeten Frauengesicht vor der Schaufensterscheibe, schenkte Zita keine Beachtung. Ihre Zeit war noch nicht gekommen.

Es war das Amsterdam vor der Provo-Bewegung, vor den Krawallmachern und vor den langen, heißen Sommern. Doch an vielen Stellen in diesem magischen Halbkreis verstärkte sich die Unruhe. Es schien schon sehr lange her zu sein, daß Niederländisch-Indien auf einer der letzten Seiten des vaterländischen Geschichtsbuches untertauchte, auf einer Seite, die später so ganz anders neu geschrieben werden sollte. Korea war mit einem Lineal zweigeteilt worden, und zwar durch etwas, was manche den unabdingbaren Lauf der Geschichte nennen. Und es gab schon Leute, die wußten, daß in Vietnam die Saat aufgehen würde. Fische begannen an Dingen zu sterben, an denen Fische früher nicht gestorben waren, und die Gesichter in den immer länger werdenden Autoschlangen auf den Straßen zeigten das Gemisch aus Frustration und Aggression, das die siebziger Jahre so einmalig machen sollte. Aber kaum jemand schien zu wissen, daß die Natur, die Mutter aller Dinge, schon bald nicht mehr mitmachen würde und das Ende der verfaulten Zeiten sehr nahe war, und diesmal endgültig.

Doch schwelte unter all dieser äußerlichen Unwissenheit der unmerkliche Brand von Unruhe, Verzweiflung und Bösartigkeit. Die Welt stank schon seit langem, Amsterdam fing langsam an, vor sich hin zu räuchern, doch jeder schob es auf die eigene schlechte Laune, auf das eigene Leid, auf die eigene unauflösbare Ehe und auf den Geldmangel. Die große Offenbarung, daß das Übel zuerst die Welt und dann einige ihrer Bewohner ergriff, hatte noch niemand verkündet.

»Immer trübsinniger wach werden«, das war Innis Wahlspruch in dieser Zeit. Wann seine Nacht stattfand, wurde niemals völlig klar, aber ständig wurde er mitten in der Nacht wach und starb dann, – zumindest nannte er das so. Es ist bekannt, daß jemand, der stirbt und auch nur ein bißchen Zeit dabei hat, sein ganzes Leben blitzartig vor seinen Augen vorüberziehen sieht. Und das geschah bei Inni jede Nacht, nur er sah nichts, weil er sich an sein Leben bis zu dem Tag, an dem seine Tante Thérèse auftauchte, kaum erinnern konnte. Alles, was er sah, war ein grauer Film, der ab und zu eine Bildfolge enthielt, in der er – klein oder schon etwas größer – winzige, abrupte Szenen mitspielte, Ereignisse ohne viel Zusammenhang oder auch bewegungslose Bilder von Gegenständen, die unerklärlicherweise in der leeren Rumpelkammer seines Gedächtnisses stehen geblieben waren, wie etwa ein Ei auf einem Teller in Tilburg oder das gewaltige violette Glied eines zufälligen Nachbarn in einer Bedürfnisanstalt an der Schenkkade in Den Haag.

Wie es kam, daß er dennoch Gedichte auswendig konnte, war selbst ihm ein Rätsel, und oft hatte er den Eindruck, daß er vielleicht besser daran getan hätte, sein Leben auswendig zu lernen. Dann hätte er sich nämlich in dem allnächtlich wiederkehrenden letzten Stündchen zumindest einen anständigen Film ansehen können und nicht bloß diese losen Bruchstücke, die keinerlei Zusammenhang hatten, und das sollte man von einem gerade abgelaufenen Leben doch erwarten dürfen. Vielleicht war dieser tägliche Tod deshalb so maßlos unerquicklich, weil nämlich gar keiner starb, da waren höchstens ein paar kaum zusammenhängende Schnappschüsse, die sich niemand jemals ansehen würde. Dieser unabänderliche, unerbittliche, stets gleiche und nichtssagende Zyklus störte ihn tagsüber nicht, denn der Tod gehört ja schließlich nicht so recht zum Leben. Er hütete sich daher auch, mit Zita oder irgend jemand anderem darüber zu sprechen. Zita hatte einen prähistorischen, namibischen Schlaf, und wenn die Stunde des nächtlichen Leidens anbrach, löste er sich aus ihrer totalen Umarmung, ging in ein anderes Zimmer und weinte bitterlich, aber kurz. Wenn er danach wieder ins Bett stieg, öffneten sich ihre Arme, als sähen sie ihn. Aber es war, als öffne sich da noch viel mehr, eine ganze elysäische Welt voller warmer, weicher Wiesen mit frischem Heu, worin alle Innis der Welt schlafen gelegt werden.

Es war, als hätte sein Mangel an Erinnerung alle anderen angesteckt. Anders ließ es sich nach Innis Meinung nicht erklären, daß ihm später niemand, aber auch niemand sagen konnte, was für einen Sommer das Jahr 1963 gehabt hatte. Wenn von Sommern die Rede war, ganz gleich, von welchen, dachte er stets an die Wälder um das Haus von Arnold Taads herum, bei Doorn: Ein heißer Tag, alles ein bißchen dunstig, ein bißchen schwül, das Gewitter bricht gleich los. Die Tümpel sind schwarz, totenstill und bereit, alles nur mögliche widerzuspiegeln. Die Enten liegen träge in den Röhrichtbüscheln. Auf dem Dach des Landhauses stößt der Pfauenhahn seinen Verzweiflungsschrei aus, und vielleicht geht dann bald das Universum endlich unter. Schon ein bißchen Fäulnisgeruch, denn nun war es die Natur selbst, die schwelgte. Inni brauchte nichts zu tun. Das war so, wie ein Sommer zu sein pflegte. Daher mußte auch der Sommer von 1963 so gewesen sein, bis jemand für ihn in einem Zeitungsarchiv nachsah und ihm berichtete, im Sommer 1963 habe es dauernd geregnet. Wohl wußte er noch – und das hatte sich ihm fest eingeprägt –, daß er sich in jenem Jahr in ein Barmädchen vom Voetboogsteeg verliebt hatte und daß in der Küche des Hotels Victoria ein italienischer Gastarbeiter beschäftigt war, der in seiner Freizeit fotografierte. Er hatte einmal eine Aufnahme von Zita für das Wochenblatt »Taboe« gemacht, das zwar nur zwei Nummern alt werden/sollte, wohl aber alt genug, um dem Glück von Inni und Zita ein Ende zu bereiten. Denn wie dem auch sei, dieser lange Verschleiß, dieser Tatbestand, daß man einander sorgfältig konsumierte, als habe man es mit einer nie zur Neige gehenden Speise zu tun, diese langen, für eine leere Filmrolle bestimmten Amsterdamer Nächte voller Körperverlagerungen und plötzlicher Visionen – das alles zusammengenommen war das Glück, und das alles sollte verschwinden und nie mehr wiederkehren. Nie mehr.

Die Bar war lang und dunkel, bestimmt für Börsenjobber und Provinzler, ein schlechtes Publikum, das zu spießig war, zu den Huren zu gehen, und zu knauserig, sich eine Freundin zu halten, und statt dessen im götterdämmernden Licht der schottengemusterten Bar auf den sehr großen, weißen Busen in Lydas Ausschnitt glotzte. Und dieses Vergnügen mußte bezahlt werden mit einem endlosen Strom aus Crème de menthe und Soda. Das war es gewesen, dieser träge Strom grüner Flüssigkeit, der in ihrem weiten Mund verschwand. Das und die silbergrau eingesprühte, blödsinnig hohe Frisur und die großen weißen Brüste, von denen so viel und dennoch zu wenig zu sehen war – und der Umstand, daß sie über einen Kopf größer war als Inni.
»Von innen bin ich völlig grün«, sagte sie regelmäßig, und auch das regte ihn auf. Seit der ersten, echten Lyda, die nicht Lyda, sondern Petra hieß, hatte es in Innis Leben viele Lydas gegeben, und da er kein eingefleischter Philosoph war, hielt er verschiedene Erklärungen dafür bereit. Manchmal hatte es wirklich

etwas mit Liebe zu tun, doch es kam auch vor, daß er sich für einen Vampir hielt, der nur leben konnte, wenn er »Licht« saugte aus Frauen; Zufallsbekanntschaften oder, wie er es nannte, unbestimmbare Lebewesen weiblichen Geschlechts. Diese kurzzeitigen Besteigungen und Austauschvorgänge, diese wechselseitige Verabreichung nahezu namenloser Ereignisse flößten ihm dann zeitweise doch noch das Gefühl ein, daß er existiere. Nicht, daß er das stets so herrlich fand, aber manchmal, wenn es schien, daß die Zeit gar nicht vergehen wollte, wenn die Tage ihn durch ihre unvorstellbare Länge aus der Fassung brachten, wenn es ihm so vorkam, als gebe es mehr Stunden und Minuten als Wasser und Luft, dann machte er sich zurecht wie jemand, der Lust hat zum Bumsen, und lief wie ein Hund hinaus auf die Straße, verkroch sich dann aber abends um so tiefer in Zitas Armen. Doch es gab auch andere Zeiten, Tage, an denen der Jäger sich jagen ließ, Zeiten, in denen die Gegenstände nicht so nachhaltig vorhanden waren und in denen er nicht immer, wenn er ein Auto sah, auch »Auto« dachte, in denen die Tage nicht wie leere und nie auszufüllende Elemente um ihn herumhingen. Er war dann ekstatisch, lief durch die Stadt, als könne er fliegen, und überließ sich jedem, der auf einen kurzzeitigen Besitz von Inni Wintrop Anspruch erhob.

Zita wurde da völlig herausgehalten. Er hatte beschlossen, sich – solange die Welt und somit auch er selbst existierte – an Zitas Leitsatz zu halten, und der war einfach: Sie wolle, was er auch treiben mochte, nichts wissen, denn sonst müsse sie ihn umbringen, und damit sei niemandem gedient.

In dem Jahr, von dem hier die Rede ist, brach eines Tages plötzlich der November an. Inni hatte ein von seinem Vormund ererbtes Stück Land verkauft, mit dem Notar in der Oesterbar gespeist und Zita zu einer Freundin in Zuid gebracht. Und nun war er damit beschäftigt, Lyda mit Crème de menthe zu bewirten.

»Heute abend komme ich mal mit zu dir«, sagte er, überzeugt, daß das eine perfekte Amsterdamer Bewerbung sei.

»So«, sagte sie und hielt den Kopf schräg, wie ein Papagei, der einen seltsamen Ton gern noch einmal gehört hätte. Sie nahm wieder ein Schlückchen, und als Inni das grüne Zeug abwärtsgleiten sah, spürte er, daß ihm die Erregung langsam aus den Zehenspitzen aufwärts kroch. Außer der Crème de menthe war da noch die endlose Treppe zur Dachkammer gewesen, die ihn unvorstellbar erregt hatte, und schließlich der Raum selbst mit dem Rotanstuhl, dem Neskaffee, den Ringelblumen, dem Kokosläufer und dem eingerahmten Bild ihres Vaters, einem kahlen Lyda-Kopf, der aus dem Totenreich argwöhnisch in das Zimmer schaute, um zu sehen, wen sie nun schon wieder bei sich hatte. Inni fand es ergreifend, jemanden, den er noch nie unbekleidet erblickt hatte, als Akt zu sehen. Es war erstaunlich, daß man wildfremde, angezogene und aufrecht gehende Menschen irgendwo in einem hölzernen Vogelkäfig in einem namenlosen Stadtviertel mit wenigen Handgriffen in ihren natürlichsten Zustand zurückversetzen konnte und daß die Unbekannte, die in der Espressobar eben noch im »Elsevier« herumblätterte, im Bett nackt neben einem lag, in einem Bett, das es vorher nie gegeben hatte, obwohl es doch schon seit

Jahren existierte. Wenn es etwas gab, was gegen Tod, Blindheit und Krebs half, dann war es das.

Lyda war groß, weiß, weich und voll, und nach den zu erwarten gewesenen Ereignissen, bei denen sie nach ihrer Mutter gerufen hatte, nahmen die beiden sich wie ein mißglückter Flugversuch aus, wie etwas Verschwitztes, das zu Boden gestürzt war. Beide waren sie mit einer silberfarbenen Lackschicht aus ihrem Haar überzogen, das ihr, als sie die Nadeln herausgenommen hatte, bis zu den Hüften reichte. Eine Zeitlang blieben sie so liegen. Ganz vorschriftsmäßig war Inni niedergedrückt. Während er diese Umarmung mit der viel größeren Lyda in sein lückenhaftes Gedächtnis wegsickern ließ, erbitterte ihn, was nun, wie immer, geschehen würde. Sie würden sich auseinanderknoten und möglicherweise auch waschen. Er würde die lange Treppe wieder hinabsteigen wie jemand, der eben eine Treppe hinabsteigt. Sie würde in ihrem eigenen Nest einschlafen und morgen wieder mit ein paar Schwachsinnigen Crème de menthe trinken. Sie würden getrennt voneinander in verschiedenen Krankenhäusern sterben, schlecht behandelt von jungen Krankenschwestern, die jetzt noch nicht geboren waren.

Er griff tastend hinter sich auf den Boden, wo er, bevor sie zu Bett gingen, eine Schachtel Caballero hatte liegen sehen. Als er sich halb aufrichtete und sie unter ihm leise zu stöhnen begann, blickte er plötzlich in Zitas Augen. Es war die Aufnahme aus »Taboe«, die zwei Druckseiten einnahm. Jetzt bin ich in Pompeji, dachte Inni. Die Lava strömt über mich hinweg, und ich bleibe für immer so liegen. Ein Mann, halb über eine Frau gebeugt, von der in jener unvorstellbaren Zukunft niemand wissen würde, daß sie nicht die seinige war, mit halb erhobenem Kopf, den Blick auf etwas gerichtet, was unwiderruflich unsichtbar geworden war. Was er empfand, war Trauer. Hundertmal hatte er diese Aufnahme schon gesehen, doch jetzt kam es ihm so vor, als befinde sich hinter dem mit vier Reißzwecken auf der braunen Tapete befestigten Foto ein Universum, das ausschließlich aus Zita bestand und an dem er nicht mehr würde teilhaben können. Aber was war das? Kühle, grüne Augen, aus einer undurchsichtigen Steinart geschliffen. Hatten diese Augen ihn je voller Liebe angeschaut? Ihr Mund stand ein wenig offen, als wolle sie etwas sagen oder als habe sie soeben etwas gesagt, was Zita und Inni für immer ein Ende bereiten würde, ein namibischer Fluch, eine vernichtende, sanfte Formel, die ihre lächerlichen Namen auslöschen würde als etwas, was man hinter- und nebeneinander aussprechen kann, eine Formel, die ihn für immer aus ihrem Leben verbannen würde, nicht nur aus der Zeit, die noch kommen würde – das wäre noch zu ertragen –, sondern auch aus der vergangenen Zeit, so daß alles, was gewesen war, nicht mehr sein würde. Acht Jahre lang würde er dann nicht existiert haben! Immer angestrengter betrachtete er dieses papierene Gesicht, das sich in Sekundenschnelle in eine unbekannte, abweisende Frauenmaske verwandelte, die ihn sah, daran bestand kein Zweifel, und eben dadurch verstieß, weil sie zugleich nach jemand anderem schaute, voller Liebe, die nicht mehr für ihn, Inni, bestimmt war, sondern für den anderen, nach dem sie geschaut hatte, als das Foto entstanden war, für den Fotografen.

»Hat'n ganz hübschen Kopf, das Mädchen da«, sagte Lyda und richtete sich auf. Er sah, daß nun auch ihre Brüste versilbert waren. Überall saß dieses Zeug, auf seinen Händen, auf seiner Brust, auf ihrem Gesicht, überall!

Er erhob sich, sah seine silberne Gestalt am Spiegel vorbeilaufen und zog sich an.

»Ich will mich nicht an dich gewöhnen«, sagte Lyda, und es hörte sich an wie ein Tagesordnungspunkt auf einer Versammlung. Er winkte dem silbernen, plötzlich tränenüberströmten Fleck ihres Gesichts zu und ging hinaus auf die Straße mit den stillen, sich totstellenden Häusern voller schlafender Menschen.

Er fuhr direkt zum Bosplan und versuchte, sich in einem Tümpel das Silber, das äußerliche Zeichen seiner Verbannung aus Zitas Leben, von den Händen zu spülen, doch es gelang nicht. Es wurde nur noch schlimmer. Es war fünf Uhr. Die Natur, in der die Tiere einander nicht kennen und keiner den anderen liebt, war dabei zu erwachen.

Ein Fotograf, dachte er, und er erinnerte sich, daß er Zita zum ersten Mal auf einer Fotoausstellung begegnet war, wo sie vor ihrem eigenen Foto stand. Er hatte das Foto gesehen, bevor er sie wahrnahm, und er wußte nicht, wer wen verleugnete, die Frau auf dem Foto die Frau, die dort stand, oder umgekehrt. Manche Fotos – wie das berühmte von Virginia Woolf an ihrem zwanzigsten Geburtstag, auf dem sie zur Seite sieht –, sind so vollendet, daß das lebende Wesen, das darauf abgebildet ist, sich wie ein Phantasiegebilde ausnimmt, wie etwas, was geschaffen wurde, um fotografiert zu werden. Inni begriff sofort: Wenn er die

Frau auf dem Foto kennenlernen wollte, mußte er die Frau ansprechen, die davor stand. Und das tat er. Das Foto hing in einer etwas dunklen Ecke, doch irgendwie war ein Sog von ihm ausgegangen, der ihn zwang, näherzutreten. Eine Macht ging von diesem Foto aus. Es war, als habe dieses Gesicht, das keinesfalls einem lebenden Menschen gehören konnte, schon Jahrtausende existiert, unabhängig überhaupt von allem, vollkommen in sich selbst gefestigt, ein Gleichgewicht.

Er erinnerte sich noch gut daran, daß ihn so etwas wie ein Schwindelgefühl ergriff, als er auf sie zuging. Sie stand nun nicht mehr vor ihrem Foto, was die Sache leichter machte, sondern an einem Fenster, von einem sanften Lichtschein überströmt, allein und mit dem unerschütterlichen Gleichmut eines Menschen, der nur geschaffen ist, anders zu sein als die andern, ohne sich dessen je bewußt zu werden; eine andere Volksschicht, der nur ein einziger als Mitglied angehört, nämlich sie. Und so war er in ihre Welt eingedrungen, ohne ihr je anzugehören. Er hatte sich gütlich getan, als er sich an dem vollendeten Gleichgewicht der Zitas labte, und nun sollte er dafür bestraft werden.

Langsam wurde es hell. Er zitterte vor Kälte. Ein großer Reiher flog über ihn weg, schwenkte und ließ sich mit flatternden Flügelschlägen im Rohrdickicht nieder. Sonst war es sehr still, und Inni kam es so vor, als stünde auch er zum erstenmal still, als habe er seit seiner ersten Begegnung mit Zita nie mehr aufgehört zu laufen, als sei er auf einem langen, ununterbrochenen Fußmarsch hierher gekommen, um an dem Tümpel zu stehen, mit silbernen Streifen auf den Händen, und, wer weiß, vielleicht auch im Gesicht. Er beschloß, sich nicht abzuwaschen und sofort nach Haus zu fahren.

Wenn alles richtig war, was er dachte, müßte er jetzt bestraft werden, und das sollte dann am besten gleich geschehen. Es gab nichts mehr, was feststand. Das war das Chaos, und das Chaos war es, was ihm in seinem Leben die größte Angst einjagte, das Chaos, in das er zurückgeschleudert würde, wenn sie ihn verließ.

Es verlief alles anders, als er angenommen hatte. Natürlich war Zita in den Fotografen verliebt, und natürlich war sie mit ihm ins Bett gegangen. Er war der erste Mann, seit sie mit Inni ging, genauso wie Inni der erste Mann in ihrem Leben gewesen war. Mit der unbedingten Sicherheit eines Menschen, der nach Gesetzen lebt, wußte sie nun, daß sie Inni verlassen mußte. Weil sie ihn liebte und seine Angst vor dem Chaos kannte, bereitete ihr das Kummer, doch es war nichts daran zu ändern. Es sollte geschehen, wie es in Namibia üblich war, geräuschlos, schnell und ohne einen einzigen Sprung im Kristall. Sie küßte ihn, als er eintrat, sagte, sie habe ein Mittel, um dieses seltsame Silber zu entfernen, half ihm dabei, schmiegte sich an ihn und nahm ihn dann mit ins Bett. Noch nie hatte er sie so geliebt. Am liebsten wäre er mit dem Kopf und dann mit allem übrigen in sie hineingekrochen und für immer dort geblieben. Nachdem aber alles vorbei war und sie wie eine neugeborene Schwester des Tutenchamun schlief, so fürchterlich still, als atme sie schon jahrhundertelang nicht mehr und als sei sie nicht kurz zuvor eine besessene, schreiende Närrin gewesen, da wußte er, daß er nichts über sein Schicksal erfahren hatte.

Sie war so abwesend, wie er es all die Jahre gewesen war. Er stand auf und nahm eine Schlaftablette aus seinem Vorrat. Als er am frühen Mittag aufwachte, war sie noch die gleiche wie am Morgen, wie im vorigen und im vorvorigen Jahr – ein Morast der Perfektion, in dem jeder untergehen würde, der sich zu weit hineinwagte.

Die Wochen gingen vorbei. Zita sah ihren Italiener, schlief mit ihrem Italiener und ließ sich von ihm fotografieren. Jedesmal, wenn er sie fotografiert hatte, löste sich ein weiteres Bröckchen Inni in der Amsterdamer Luft auf. Die neue Liebe war das Krematorium der alten, und so konnte es geschehen, daß Inni eines Tages, als er über das Koningsplein ging, ein Stäubchen Asche ins Auge bekam, und dieses Stäubchen wollte nicht mehr heraus, bis Zita es mit der Zungenspitze herausleckte und sagte, er sähe schlecht aus.

Das war an einem Freitagnachmittag, und was nun geschehen sollte, hatte mit Italienern und Liebe kaum etwas zu tun, eher mit einem unergründlichen, geheimnisvoll durch die Jahrhunderte überlieferten, ungeschriebenen namibischen Gesetz, mit einem Gesetz etwa, gemäß dem alle acht Jahre – dann aber endgültig – abgerechnet wird, und zwar an einem Freitagnachmittag. An solchen Nachmittagen müssen in jenem Lande Männer zu einem schrecklichen Tod verurteilt werden, doch ebenso wie bei vielen anderen Bräuchen hatten sich in der Diaspora die schärfsten

Kanten schon von selbst geschliffen. Inni wurde verbannt, doch daß es an jenem Tag geschehen würde, wußte er nicht. Zita hatte abgerechnet und gehörte ihm nicht mehr an. An dem Tag wollte sie mit ihrem Italiener, der ebenso wie sie kein Geld hatte, nach Italien abreisen. Was dort werden sollte, wußte sie nicht, und eigentlich hatte sie auch das Gefühl, daß sie nichts damit zu tun habe. Es sollte geschehen, darum ging es.

Nachdem sie Inni die Asche aus dem Auge geleckt hatte, setzte er sich an seinen Schreibtisch. In anderthalb Stunden mußte er bei »Het Parool« das Horoskop für die Sonnabendbeilage abliefern. Er durchblätterte »Marie Claire«, »Harper's Bazaar« und »Nova«, seine Sternenbücher, schrieb etwas um, dachte sich etwas aus und befaßte sich, da sie es doch nun einmal lesen wollten, mit dem Schicksal anderer Leute. Als er bei seinem eigenen Sternbild, Löwe, angelangt war und in »Harper's Bazaar« gelesen hatte, es werde ihm gut gehen, in »Elle« aber, es sehe schlecht aus, legte er die Feder nieder und sagte zu Zita, die sich auf einer Liege am Fenster ausgestreckt hatte, um zum letztenmal den Ausblick auf die Prinsengracht zu genießen: »Warum darf man eigentlich nie schreiben: Sehr geehrter Krebs, du bekommst den Krebs, oder lieber Löwe, heute wird dir etwas Schreckliches passieren: Deine Frau wird ausreißen, und du begehst Selbstmord?« Zita wußte, daß er dabei an seine Tante und an Arnold Taads dachte, und das Grün in ihren Augen verdunkelte sich. Doch er sah das nicht und kicherte. Sie wandte ihm das Gesicht zu und schaute ihn an. Da saß ein völlig fremder Mann am Schreibtisch und lachte. Sie lachte auf. Inni erhob sich und ging auf sie zu. Er strich ihr übers Haar und wollte sich neben sie legen.

»Nein«, sagte sie, aber das hatte an sich nichts zu bedeuten. Es konnte Bestandteil eines Spiels sein, mit dem sie ihn hänseln mußte oder wollte oder in dessen Verlauf er ihr eine Geschichte erzählen mußte.

»Diesmal mußt du bezahlen«, sagte sie. Auch das war nicht neu. Er fühlte starke Begierde in sich aufsteigen.

»Wieviel?« fragte er.

»Fünftausend Gulden.«

Er lachte. Fünftausend Gulden. Er knöpfte ihr die Bluse auf. Die höchste Summe, die er ihr je gezahlt hatte, betrug hundert Gulden. Darüber mußten sie immer sehr lachen. Sie trieben es dann meistens auf dem Geldschein, so daß sie ihn rascheln hörten. Später zeigte sie ihm dann, was sie sich dafür gekauft hatte, oder sie lud ihn ein, mit ihr essen zu gehen. Und einmal war sie Op de Wallen mit dem heitersten Gesicht zu einer Hure hineingegangen und hatte den Schein schweigend überreicht.

»Fünftausend Gulden«, wiederholte Zita. »Deine Scheckhefte liegen im roten Kästchen.«

Das war also ein neues Spiel. Es regte ihn ungeheuer auf, doch sie lachte nicht. Oder war gerade das das Neue daran?

»Gut«, sagte er.

Die Abrechnung, die Begleichung einer Schuld, die Auszahlung der Abwesenheit, die endgültige Tilgung der Liebe, das Verschlingen aller Zeit zwischen dem ersten Blick auf der Fotoausstellung und dem Jetzt, woran noch immer die beiden gleichen Leiber beteiligt waren – zum ersten Mal sollte das Gestalt annehmen.

Jahre später, wenn er sie in Palermo in einem ärmlichen Hotelzimmer wiedersieht, wird er sie fragen, weshalb das so war, und sie wird ihm nicht antworten, weil sie weiß, daß er es weiß. Jetzt, da dieses Hotelzimmer zwar schon existiert, die Jahre aber, die sie getrennt voneinander verbringen werden, noch nicht vorüber sind, jetzt nimmt er die Schecks aus dem roten Kästchen und unterschreibt sie. Sie nimmt die Schecks, noch immer ohne ein Lachen, entgegen, steht auf und geht in eine Ecke des Zimmers, greift nach ihrer Handtasche und holt das Portemonnaie heraus. Sorgfältig steckt sie die Schecks hinein, stellt die Tasche wieder zurück und zieht sich dann langsam aus, – noch immer ohne zu lachen und mit einer beängstigenden Abwesenheit, die eine Strafe ist und doch noch zu dem neuen Spiel gehören könnte. Sie steht nackt da, sieht ihn an, geht zum Bett, legt sich hin, schließt die Augen und sagt: »Los, fang an.« Schon jetzt, und sie wissen es, auch wenn sie es nicht sehen, wird das Zimmer in Palermo ganz sanft und behutsam von dem durchströmt, um dessentwillen sie ihn verlassen wird und verlassen hat – von seiner Schwäche.

Er zieht sich aus, mit der gleichen Geschämigkeit, die ihm auch bei richtigen Huren eigen ist. Sie führt die rechte Hand zum Mund und feuchtet sich an. »Komm«, sagt sie, doch er denkt, was will sie nur? Daß er sie wie eine richtige Hure behandelt oder so wild wird (so tut, als ob er wild wird), daß er sie vergewaltigt (so tut, als ob er sie vergewaltigt)? »So kann ich nicht«, sagt er. »Du kannst immer«, sagt sie. Sie legt ihm die Hände um den Hals und drückt seinen Kopf neben sich ins Kissen, so daß sie einander nicht anzusehen brauchen, und wie ein Blinder bei der Paarung mit einer Blinden wird er so zum letztenmal fertig in ihr, und eine vernichtende Stille setzt ein, die andauert, als sie sich unter ihm hervorzieht und mit einer Hand zwischen den Beinen zum Zimmer hinausläuft.

Inni bleibt liegen. Kälte durchschauert ihn, vor Angst und Erniedrigung. Wie jemand, der von einer Reise zurückkehrt und sein Haus voller Scherben, Dreck und Müll vorfindet, denkt er. Während er sich fragt, was er nur tun soll, ruft Zita im Nebenzimmer die Bank an und sagt, sie sollten ihren Kassenraum noch nicht schließen, denn sie müssen sich noch einen hohen Betrag in Lire auszahlen lassen. Innis Samen rieselt dabei kalt in die Hand zwischen ihren Beinen, rinnt an ihren Fingern entlang, tropft auf den Fußboden. Er hört, daß sie sich anzieht und durch das Zimmer läuft, bestimmt die Richtung ihrer Schritte – erst mit bloßen Füßen, dann mit Schuhen – hört, daß sie an der Schwelle kurz stehenbleibt, sich ihm nähert, innehält, wieder umkehrt. Dann hört er sie, schon an der Tür, zu ihm sagen: »Denk an dein Horoskop. Vier Uhr ist der letzte Termin.« Dann hört er nur noch die Tür und den Novemberwind, der kurz hindurchfegt.

Er setzt sich an den Schreibtisch und macht das Horoskop fertig. Über die Utrechtsestraat, die Keizergracht, die Spiegelstraat, die Herengracht und das Koningsplein läuft er zum Gebäude von »Het Parool« an der Nieuwezijds, wo er seine Arbeit abliefert. Und während Zita sich von der Bank in der Vijzelstraat zum

Noord-Zuidhollandsch Koffiehuis am Hauptbahnhof begibt, wo sie mit ihrem Italiener verabredet ist, geht Inni unendlich viel langsamer in entgegengesetzter Richtung heimwärts. Er kehrt ein bei Scheltema, in der Koningshut, bei Hoppe, bei Pieper, bei Hans en Grietje und im Café Centrum. So betrunken ist er noch nie gewesen. Es ist Nacht, als er nach Hause kommt. Er ruft ihren Namen durch das leere Haus und brüllt weiter, bis die Nachbarn anrufen und ihm sagen, er solle die Klappe halten. Da erst findet er den Zettel, auf dem steht, daß sie nie mehr wiederkommt. Und während er ihn in der Hand hält und draufstarrt, hört er seine eigene Stimme: »Löwe, heute wird dir etwas Schreckliches passieren: Deine Frau wird ausreißen, und du begehst Selbstmord.« Er weiß, was er zu tun hat. Schwankend geht er durchs Zimmer, stößt an Stühle und Tische, betritt das WC, wo er sich mit einiger Mühe am höchsten Punkt aufhängt, dort näm- lich, wo das Heizungs- und das Wasserleitungsrohr durch eine doppelte Halterung aneinander befestigt sind, bevor sie in der hohen Decke verschwinden.

Der Himmel des Todes hängt voll grauer Wolken. Über die kahlen Baumwipfel jagen sie die Gracht entlang. Er erwacht im Bett, das über und über mit Erbrochenem beschmutzt ist, und löst sich mit zittern- den Fingern die gerissene Schlinge vom Hals. Überall an seinem Körper sind Schrammen, und das Laken ist mit Blut beschmiert. Er geht ins Badezimmer, als hätte ihn jemand aufgezogen, wäscht und rasiert sich, nimmt zwei Alka Seltzer, sträubt sich, an Zita zu denken, und geht hinaus. Wo die Utrechtsestraat eine Biegung macht, kauft er das »Handelsblad«. Er geht zu Oosterling, bestellt einen doppelten Kaffee schwarz und schlägt, wie immer, erst einmal den Börsenbericht auf. Die Buchstaben sind größer als sonst, und langsam, als sei er plötzlich viel älter, liest er, was dort steht: »Auf dringendes Ersuchen des Vorstandes der Vereinigung für den Effektenhandel ist der Geschäftsablauf in Zusammenhang mit dem Tod des amerikanischen Präsidenten ab 20.^{45} Uhr eingestellt worden. Als die erschütternde Meldung einging, daß Kennedy schwer, vermutlich sogar tödlich verletzt sei, fielen die Kurse sehr schnell. Der Dow-Jones-Mittelkurs, der zu Beginn um 3.31 angezogen hatte, fiel auf 711.49. Das bedeutet einen Verlust von 21.16 im Vergleich zum Schlußkurs von Donnerstag und ist der stärkste Sturz seit der Panikwelle vom 28. Mai 1962.«

Er faltet die Zeitung zusammen und betrachtet einen Augenblick lang das Foto auf dem Titelblatt. Der jugendlich aussehende Präsident liegt auf dem Rücksitz seines großen Wagens und schläft. Die Frau mit der Oresteia-Maske neben ihm hat sich in voller Größe erhoben und starrt auf die großen Weinflecke an ihrem nunmehr für alle Zeiten unvergeßlichen Jackenkleid. Drei Dinge weiß Inni ganz sicher: daß Zita nie mehr wiederkommt, daß er nicht tot ist und daß sich am nächsten Tag die Börse wie ein Kreisel drehen wird. Mit dem Gold, das er am Montag von seinem Makler in der Schweiz kaufen läßt, hat er bis 1983, wenn das verhängnisvolle Bild zum zehntausendsten Mal in allen Wochenzeitschriften der Welt erscheint, schon über tausend Prozent Gewinn gemacht. Das Foto war sehr deutlich: Es waren schlimme Zeiten im Anzug.

2 Arnold Taads
1953

Ebenso nahm er nach dem Mahl diesen erhabenen Kelch in seine heiligen und ehrwürdigen Hände, sagte Dir Lob und Dank, reichte den Kelch seinen Jüngern und sprach: Nehmet und trinket alle daraus: Das ist der Kelch des neuen und ewigen Bundes, mein Blut, das für euch und für alle vergossen wird zur Vergebung der Sünden. Tut dies zu meinem Gedächtnis.

Aus dem Kanon der Heiligen Messe

Ehe Inni Wintrop dem Philip Taads begegnete, hatte er stets angenommen, Arnold Taads sei der einsamste Mann in den Niederlanden. Aber mit der Einsamkeit konnte man es offenbar noch weiter treiben. Dieser Philip Taads war einer, der zwar einen Vater hatte, aber das hatte ihm auch nicht weitergeholfen. Arnold Taads hatte nie von einem Sohn gesprochen und diesen Sohn, so meinte Inni, dadurch zu einer merkwürdigen Form des Nichtbestehens verurteilt, die letztlich zur endgültigen Form des Nichtbestehens, zum Tode, führte.

Nun, da Vater und Sohn – völlig getrennt voneinander und ohne den anderen um Rat zu fragen – sich für die absolute Abwesenheit entschieden hatten, war die einzige Form des Daseins, die ihnen, zumindest im Hinblick auf Inni, noch verblieb, die Anwesenheit in seinen Gedanken. Und dieser Form bedienten sie sich recht oft. Völlig unerwartet traten sie in seinen Träumen oder halbwachen Gedanken auf, die man wohl auch Grübeleien nennt, und taten, was sie zu Lebzeiten nie getan hatten: Sie erschienen als Paar, als wesenloses Duo, das ihm nachts in Hotelzimmern mit ihrer alles vernichtenden Trübseligkeit fürchterliche Angst einjagte.

An seine erste Begegnung mit Arnold Taads würde er sich stets erinnern, und sei es nur, weil diese Erinnerung unzertrennlich mit dem Bild seiner Tante Thérèse verknüpft war, die auch schon Selbstmord begangen hatte, allerdings nicht mit so viel Überlegung wie die beiden anderen.

Was so auf tausend Einwohner Selbstmord begeht, ist ein ganz willkürlich zusammengewürfeltes Häuflein, kaum zahlreicher als die Leute, die vor der Spitzenverkehrszeit in der Amsterdamer Lairessestraat auf die Linie 16 warten. Der statistische Schwerpunkt schien in seinem Wohnviertel zu liegen, und Statistiken sind unfehlbar. Aus der Zahl der Selbstmörder, die er kannte – und so muß man das wohl sagen, denn die Tatsache, daß jemand stirbt, setzt erst einmal einen Schlußstrich unter die Bekanntschaft, und sei es nur, weil er oder sie einem keine Überraschung mehr bereiten kann –, leitete er ab, daß sein Bekanntenkreis wohl aus tausend Personen bestehen mußte. Wenn er alle diese freiwilligen Toten zum Tee bitten wollte, würden zwei Dutzend Stückchen Torte von Berkhof kaum ausreichen.

Er untergliederte die Entschwundenen in zwei Gruppen, je nach dem Verfahren, dessen sie sich bedient hatten: Rutschbahn oder Treppe. Das eine ging nach anfänglicher Mühe ganz von selbst, bei dem anderen muß man schuften.

Tante Thérèse war die mit der Rutschbahn, das stand fest. Suff und ein nie versagendes Gemisch aus Hysterie und Überdruß geleiteten ganz wie von selbst zum Ausgang des Ballsaales, während die beiden Taads sich voller Entschlossenheit durch ganze Labyrinthe hindurchgequält und endlose Treppen erstiegen hatten, um schließlich auch nur die gleiche Stelle zu erreichen.

Inni Wintrop gehörte zu den Menschen, die die Zeit, die sie auf Erden zugebracht hatten, wie eine amorphe Masse hinter sich herschleppten. Das war nicht ein Gedanke, der ihm jeden Tag kam, wohl aber einer, der regelmäßig wiederkehrte und der ihn schon beschäftigte, als er noch bedeutend weniger Vergangenheit zu befördern hatte. Er konnte die Zeit nicht abschätzen, nicht messen, nicht einteilen. Doch es ist vielleicht besser, wenn man hierbei den bestimmten Artikel wegläßt und, wie es die Engländer tun, nur von *Zeit* spricht, um diesem Begriff die volle, klebrige Zähflüssigkeit zu verleihen, die er beanspruchen darf. Und nicht nur die Vergangenheit blieb auf diese Weise an Innis Löffel hängen, auch die Zukunft war nicht sehr fügsam. Da wartete eine ebenso amorphe Masse auf ihn und wollte durchquert werden, ohne daß klar angegeben war, welchen Weg er einschlagen sollte, um durchzukommen. Eines stand fest: Die Zeit, die er gelebt hatte, war vorbei. Doch jetzt, da er fünfundvierzig geworden war und, nach seinen eigenen Worten, die Grenze zum Fürchterlichen überschritten hatte, ohne daß er je einen Paß vorzeigen mußte, begleitete ihn dieses formlose Zeug, das sowohl seine Erinnerung als auch sein mangelhaftes Gedächtnis einschloß, noch immer, noch genauso geheimnisvoll und in rückwärtiger Richtung ebenso unmeßbar wie das

Weltall, von dem man in letzter Zeit soviel zu hören bekam.

Irgendwo im grauen, milchigen Nebel der frühen fünfziger Jahre, als die kräftige weiße Blüte des Koreakrieges noch immer gut sichtbar war, mußte der leider weniger gut wahrnehmbare Zeitpunkt eingetreten sein, an dem seine Tante Thérèse (treize, Thérèse ne perd jamais), von der er einige Jahre später den Grundstock seines verhältnismäßigen Wohlstands erben würde, in seiner Pension am Trompenbergweg in Hilversum erschien.

Die Aufarbeitung seiner Erinnerungen wurde nicht nur dadurch erschwert, daß sein Instrumentarium so begrenzt war (»Ich habe kein Gedächtnis.« – »Du hast einfach alles verdrängt.« – »Kannst du denn, zum Teufel nochmal, überhaupt nichts behalten!«), sondern auch durch den Umstand, daß beim Älterwerden die einmal dagewesenen Haltegriffe und Geländer für einen Abstieg in die Unterwelt der Vergangenheit zu verschwinden beginnen. Daß Tante Thérèse ihr greifbares Fleisch gegen den gescheckten Spuk eingetauscht hatte, der hin und wieder durch seinen schlecht beleuchteten Hirngang geisterte, mag noch angehen, auch daß der Chauffeur des weißen Lincoln convertible sich und den Onkel, der zur Tante gehörte, zu Bruch gefahren hatte. Schlimmer war schon, daß die Pension, in der Inni die ersten Jahre seines Erwachsenendaseins zugebracht hatte, zusammen mit seinen Erinnerungen in der Baugrube von acht aneinandergeklebten Komfortwohnungen versunken war. Die Hortensien, Kastanien, Lärchen, Rhododendronsträucher und Jasminbüsche wurden dabei ebenfalls mit

in die Tiefe gerissen, aus der nie mehr etwas wieder-
kehrt.

Wirklich nie mehr etwas?

Die großen, verfallenen Häuser, die ausgediente Kolonialbeamte sich hatten bauen lassen, waren im Grunde
nur Schachteln voller Erinnerungen an eine ebenso
unwiderruflich verfallene Epoche. Sie hatten solche
Namen wie Terang – Tenang oder Madoera, und der
klapperdürre, nervöse und romantische Inni jener Tage
konnte sich, vor allem in der duftenden Schwüle der
Sommerabende, der Vorstellung hingeben, er bewohne
in der Umgebung von Bandoeng eine Plantage, einer
Vorstellung, die noch dadurch verstärkt wurde, daß
in diesem wahnsinnig großen Haus tatsächlich ehe-
malige niederländisch-indische Kolonialbeamte und
Geschäftsleute im Ruhestand lebten, in gemieteten
Einzelzimmern. Düfte tropischer Speisen durchström-
ten die Villa, man hörte Pantoffelgeschlurfe auf den
Rohrmatten im Korridor und hohe, sanfte Stimmen
mit fremdländischem Akzent Dinge erzählen, von
denen er nichts verstand, die er aber mit den Büchern
von Couperus, Daum und Dermoût in Zusammenhang brachte.

Er haßte seine Bilder aus dieser Zeit. Nicht so sehr die,
auf denen er zusammen mit anderen zu sehen war – da
sahen alle gleich lächerlich aus –, nein, gerade diejenigen, wo die Aufmerksamkeit von dem, der er einmal
gewesen war, durch nichts abgelenkt werden konnte,
weil er dort nämlich allein drauf war, in Pose, ver-
krampft, Standbilder nachahmend und zugleich Halt
suchend an einem Baum, an einem Zaun, überhaupt an
jedem Gegenstand, der binnen kurzem einen Teil des

Bildes einnehmen würde, so daß er es nicht ganz allein ausfüllen mußte. Denn was war auf solch einer Aufnahme schon zu sehen? Einer, der so mager war, daß er für wehrdienstuntauglich erklärt wurde, und der, was noch schlimmer war, nicht den Mut hatte, sich an einem Badestrand auszuziehen, einer, den vier höhere Schulen davongejagt hatten und der sich mit seinem Vormund verkrachte, so daß die Beihilfe, die ihm seine Großmutter so edelmütig zugestand, gestrichen wurde, einer, der sich in den unsinnigsten Verliebtheiten verstrickte und seine Tage in einem Büro zubrachte, um in seiner Pension die Zimmermiete bezahlen zu können, ein Mensch mit verschwindend geringer Selbständigkeit.

3

Ungefähr so muß es gewesen sein: Er saß in seinem Zimmer, als er vom Korridor her die indonesisch gefärbte Stimme seines Zimmervermieters vernahm.

»Herr Wintrop, hier ist eine Dame für Sie!«

Kurz darauf stand sie im Zimmer, was gar nicht so leicht war, denn es war nicht groß genug für zwei Personen, und ihr Umfang reichte schon fast für zwei.

»Ich bin deine Tante Thérèse«, sagte sie.

»Du bist ein echter Wintrop«, sagte sie.

Sie drängelte sich an ihm vorbei, hüllte ihn in eine weiche, moschusartige Duftwolke und schaute aus dem Fenster. Was sie sah, gefiel ihr nicht. Die Äußerungen, die sie dann von sich gab, hatten eigentlich keine logische Reihenfolge, doch sie kamen staccato und in gleichmäßiger Tonlage. »Bücher liest der. Wie klein das hier ist. Ich hab von dir gehört. Man kann hier ja kaum den Hintern drehen. Du lieber Gott, hier werde ich melancholisch. Hast du schon mal was von mir gehört? Wir werden ein Stückchen fahren. Ich werde dich jemandem vorstellen, der Bücher schreibt«, wobei *schreibt* in einer Weise ausgesprochen wurde, die unmißverständlich klar machte, daß für sie das Schreiben eine Tätigkeit war, die das Lesen bei weitem übertraf.

Es war an einem Sonnabendnachmittag im Frühjahr. Später fiel ihm ein, daß sie ihn gar nicht erst gefragt hatte, ob er überhaupt mitwollte. Sie gingen einfach oder, besser gesagt, sie wedelte die Treppe hinunter, huschte durch den Garten, als wäre er Feindesland, schwang sich in den Wagen und sagte: »Jaap, wir fahren zu Herrn Taads.«

Das Auto stürmte davon. Sie hatte – doch auch das war ihm erst später klar geworden – niemals etwas zu tun, und das tat sie mit größtmöglicher Geschwindigkeit. In seiner Unschuld glaubte er noch, diese Aufregung käme vielleicht durch geheimnisvolle chemische Vorgänge irgendwo in diesem weißen, ein wenig aufgedunsenen Leib zustande, als koche da ein Töpfchen mit ihrem Blut auf einem inwendigen Herd ständig vor sich hin. Flecken von unterschiedlichster Färbung erschienen und verschwanden auf ihrem Gesicht und ihrem Hals. Und hätte sie nicht regelmäßig einen ihrer tiefen Seufzer von sich gegeben, wäre sie ganz gewiß geplatzt.

Was ist ein Wintrop? fragte er sich, denn davon redete sie unaufhörlich.

»Alle Wintrops sind verrückt, schlecht und eitel, haben keine Disziplin, leben in Unordnung und lassen sich am laufenden Band scheiden. Ihre Frauen behandeln sie wie Vieh, und die Frauen sind trotzdem ständig in sie verliebt. Im Krieg standen sie auf der falschen Seite, verdienen aber daran. In Geschäften sind sie gerissen, aber ihr Geld verjubeln sie oder schmeißen's zum Fenster raus. Und dann verkaufen sie einander für einen Gulden. Hast du deinen Vater gekannt?«

Sie wartete nicht auf die Antwort.

»Du bist getauft, weißt du das? Mein Bruder war Widerstandskämpfer, eine Ausnahme in dieser prinzipientreuen Familie. Das kannst du von deinem Vater nicht sagen. Mit Geld konnte der überhaupt nicht umgehen. Frauen, das war das einzige, worauf der sich verstand. Gehst du noch in die Kirche?«

Hierauf zumindest konnte er antworten.

»Nein.«

»Jaap, halt doch mal an.«

Der weiße Lincoln sauste in den Straßengraben und verfehlte ganz knapp einen Radfahrer. Sie sah ihn groß an. Blaue Augen, wie er, wässerig, aber mit eisernem Grund. Sie zeigte mit dem Finger dorthin, wo etwa sein Herz sitzen mußte.

»Die Wintrops sind eine katholische Familie. Eine katholische Familie aus Brabant. Der einzige Bruder deines Vaters, der nicht aus der Kirche ausgetreten ist, besitzt alles Geld. Dein Vater, dein Onkel Jos, dein Onkel Noud, dein Onkel Pierre, deine Tante Claire, die sind alle tot oder bettelarm. Du hast nichts, bis auf das, was du mal von deiner Großmutter kriegst. Die haben alle hintereinander wie im Gänsemarsch die Kirche verlassen. Darüber denk mal nach.«

Kaum eine Minute danach fuhren sie schon wieder über hundert.

Die Fahrt ging, wie sich später herausstellte, nach Doorn. Aber nicht nur nach Doorn. Wenn es eine Karte der Unterwelt gibt, der Welt der Geisterschatten, dann liegt Doorn an ihrem Eingang. Denn die Fahrt nach Doorn war eine Fahrt in die Vergangenheit seiner Familie, eine Reise zu Namen und zu Toten, in das Tilburg der Jahrhundertwende, zu Wollstoffen, Agenturen und Fabrikanten. Ihr Akzent verstärkte sich. Das Tilburgische mußte der häßlichste von allen niederländischen Dialekten sein. Er hörte sich an, was sie ihm erzählte, und speicherte es. Er würde später darüber nachdenken.

»Deine Mutter war nicht gern gesehen bei uns. Du weißt, warum?«

»Sie hat es mir erzählt.«

Daran erinnerte ihn dieser Akzent: seine Mutter, wenn sie aufgeregt war. In Tilburg sprachen das Volk und die Bourgeoisie also die gleiche Sprache.

»Besuchst du sie noch?«

»Nein. Sie wohnt nicht in Europa.«

Drei Wochen nach der Eheschließung mit der Tochter eines französischen Geschäftsfreundes hatte sein Vater mit seiner Mutter das Weite gesucht. Was die Familie für schlimmer hielt, die Todsünde oder die Mesalliance, war nicht zu ergründen. Danach hatten sie seinen Vater vergessen, und zwar mit der Art des Vergessens, bei der man vergißt, was man vergessen hat. Der Handschuh, den man im Zug liegen läßt und an den man später nie mehr denkt. Er kannte die ganze Geschichte, doch sie hatte ihm nie etwas bedeutet. Eine spätere Freundin würde ihm einmal sagen: »Ich wurde nicht geboren, ich wurde erstellt«, und das kam ihm bekannt vor. Sein Vater war schon seit 1944 in der Unterwelt, und der Tod des Vaters hatte ihn zum zweitenmal aus dessen Familie hinausgeschleudert. Er kannte kaum jemanden davon. Er gehörte nirgendwo dazu, und das gefiel ihm ausgezeichnet. Er war allein. Er wußte nicht, was das war: Familie.

»Dein Großvater Wintrop und mein Vater waren Halbbrüder. Mein Vater ist dein Vormund.«

»War.«

»Er hatte Angst, ihm könnten Kosten entstehen. Und dafür sind wir gar nicht. Sich da herauszuhalten, fiel ihm nicht schwer, denn er saß ja selbst im Vormundschaftsrat.«

Geld oder Gott, wer konnte das schon sagen. Inni hatte ihn ein einziges Mal gesehen. Ein ergrauter Mann im Lehnstuhl unter seinem eigenen Herrscherporträt, an beiden kleinen Fingern einen Brillantring. Aber das ging schon, wenn man alt und häßlich war. Und in Reichweite eine Klingel: »Treeske, bring meinem Neffen mal ein Glas Portwein.« Die Geschichte vom Geld seiner Großmutter (»Das werde ich nach Ehre und Gewissen für dich verwalten.«) hatte er nicht so recht begriffen, und auch im übrigen war die Unterhaltung unerquicklich. Mit langen, dünnen Händen und schriller, nördlich gefärbter Knabenstimme hatte Inni auseinandergesetzt, warum es keinen Gott gibt.

»Wir sind erst später katholisch geworden. Das sind die besten. Ursprünglich waren wir eine protestantische Soldatenfamilie. Der erste Wintrop, der nach Tilburg kam, war Oberstleutnant bei den Lanzenreitern. Sie kamen aus dem Westland.«

Märchen, dachte Inni, Lügen und Märchen. Erdachte Gestalten aus einer erdachten Vergangenheit. Weil das eigene Leben zu öde war.

»Er kam mit der Leibwache von Willem dem Zweiten, als der den Rathauspalast bauen ließ, in dem der aber nie gewohnt hat. Er heiratete ein katholisches Mädchen.«

Das Wort Mädchen berührte ihn. Es hatte also in anderen Jahrhunderten Mädchen gegeben, die mit ihm verwandt waren. Unsichtbare Mädchen, die mit nicht mehr vorstellbaren Mädchenmündern ihren Nachnamen ausgesprochen hatten, seinen Nachnamen.

»Seitdem sitzen die Wintrops in der Textilbranche. Wollstoffe. Tweed. Fabriken. Agenturen.«

Noch mehr Geisterschatten. Menschen, die das Recht hatten, in seinem Blut umherzugeistern, sich in seinen Schultern, seinen Händen, seinen Augen, seinen Gesichtszügen festzusetzen, weil er von ihnen gezeugt wurde.

Der Wagen teilte die Landschaft entzwei und schleuderte sie achtlos hinter sich. Das ließ in ihm das Gefühl aufkommen, als würde dadurch auch das Leben weggeschleudert, das er in den letzten Jahren geführt hatte. Seine Tante schwieg jetzt eine Zeitlang. Er sah ihr Blut in den blauen Schlagadern am Handgelenk pulsieren, und er dachte: mein Blut. Doch an seinen Schlagadern war nichts zu sehen.

»Arnold Taads war früher mal mein Liebhaber«, sagte die Tante.

Sie fing an, sich zurechtzumachen. Das war nicht gerade ein schöner Anblick. Sie strich eine zweite Haut aus orangefarbener Schminke über die erste, die schlaff und weiß war, tat das aber nicht sehr sorgfältig, so daß zwischen den orangefarbenen Bahnen kleine weiße Streifen übrigblieben.

»Ich habe ihn vor kurzem zum erstenmal nach dem Krieg wiedergesehen.«

Er konnte sich nichts darunter vorstellen, unter einem Liebhaber dieser Frau. Und als er Arnold Taads sah, begriff er, warum. Jemanden, der so aussah, hätte er sich nie vorstellen können, weil er noch nie einen solchen Menschen gesehen hatte.

Der Mann, der in der Türöffnung des niedrigen, weißen und halb im Wald versteckten Hauses stand und auf seine Uhr schaute, war klein. Er hatte ein Glasauge – es war das rechte –, steckte in dicksohligen Waldläuferschuhen und trug eine verschlissene Jacke mit langen Fransen aus Sämischleder. Und das zu einer Zeit, als die Leute noch Anzüge trugen und Schlipse. Das Gesicht des Mannes war gebräunt, doch unter dieser ostentativen Gesundheit wütete kaum verdeckt etwas anderes, ein graueres, ein trübseligeres Element. Ein Auge und kein Auge, eine gesunde und eine ungesunde Haut, eine schallende Stimme aus einem verkrampften, herrischen Gesicht, eine Stimme, die bemessen war für einen Körper, der größer hätte sein müssen als der, in dem sie steckte.

»Du kommst zehn Minuten zu früh, Thérèse.«

In diesem Augenblick tauchte hinter ihm ein riesiger Hund auf und stürmte in den Garten.

»Athos! Hierher!«

Diese Stimme hätte mit Leichtigkeit ein ganzes Bataillon in Grund und Boden brüllen können. Der Hund blieb stehen, sein Fell mit dem dunkelbraunen gelockten Haar zitterte. Dann senkte er den Kopf und verschwand hinter dem Mann langsam im Haus. Der Mann selbst machte eine halbe Kehrtwendung und ging ins Haus. Die weiße Tür fiel hinter ihm ins Schloß, sanft und entschieden.

»Sein Hund, sein Hund«, jammerte die Tante, »der lebt für seinen Hund.«

Sie schaute auf ihre Uhr. Drinnen erklang Klaviermusik, doch durch die Fensterscheiben konnte Inni nichts sehen. Es klang nicht schön. Zu scharf, zu steif, glanzlos. Musik, die hätte fließen müssen, die aber holperte und stolperte, Musik, die derjenige, der spielte, nicht hätte spielen dürfen. Wer aber dann? Jemand mit zwei Glasaugen oder jemand mit einer ungesunden grauen Haut oder ein kleiner Mann mit einer sanften braunen Haut. Jemand anders.

»Wir gehen ein bißchen spazieren«, sagte die Tante; er merkte bald, daß sie darin nicht sehr geübt war. An der anderen Seite der Allee war ein Wald. Es duftete nach Geißblatt und jungen Tannen. Auf dem holperigen Waldweg knickten der Tante die Knöchel um, sie stieß sich an den Bäumen, stolperte über einen abgebrochenen Zweig und verfing sich in einem Brombeerstrauch. Zum erstenmal an diesem Nachmittag beschlich ihn ein Gefühl der Angst. Was hatte das alles zu bedeuten? Er hatte nicht darum gebeten. Aufgescheucht aus dem ruhigen Universum seines Zimmers, hineingejagt in eine Familie, die zwar die seine war, auf die er aber nie einen Gedanken verschwendet hatte; die Tür vor der Nase zugeschlagen von einem Mann, der eigentlich aus zweien hätte bestehen müssen; ein Chauffeur, der sich an den viel zu großen Wagen lümmelte, wahrscheinlich grinsend den humpeligen Hundertmetergang seiner Arbeitgeberin verfolgte und nun ein gedämpftes Hupsignal gab, um zu melden, daß die zehn Minuten um waren.

4

Da capo. Der Mann stand wieder in der Türöffnung. Jeder war zehn Minuten älter geworden. Das ist schon einmal geschehen, dachte Inni. Die gleiche Aufstellung, die ewige Wiederkehr. Seine Tante stand seitlich vor ihm, damit der Mann ihn sehen konnte. Aber der schaute nicht hin. Auch den Blick auf die Uhr unterließ er jetzt, denn jeder wußte ja, wie spät es war. Der graue, geradlinige Strahl seines einen Auges bestrich wie ein Scheinwerfer die Gestalt von Thérèse Donders. Von den drei Männern, die dort standen, wußte nur der Chauffeur, daß das weiße Kostüm seiner Tante, das voller Tannennadeln und haariger Zweiglein saß, ein Entwurf von Coco Chanel war.

»Guten Tag, Thérèse, wie du wieder aussiehst!«

Dann erst schaute der Mann nach Inni. Vielleicht lag es an dem einen Auge, doch der Beschaute hatte das Gefühl, von einer Kamera aufgenommen zu werden, die tadellos funktionierte, die ihn aufsaugte, aufschluckte, entwickelte und für alle Zeiten in einem Archiv beisetzte, das es erst dann nicht mehr geben würde, wenn die Kamera den Geist aufgab.

»Das ist ein Neffe von mir.«

»So. Mein Name ist Arnold Taads.« Arnold Taads' Hand umschloß die seine wie eine Schraubzwinge. »Wie heißt du?«

»Inni.«

»Inni…« Der Mann ließ den blödsinnigen Namen ein wenig in der Luft hängen und wedelte ihn dann weg. Inni erklärte die Herkunft seines Namens.

»In eurer Familie ist jeder verrückt«, sagte Arnold Taads.

»Kommt doch herein.«

Die Ordnung, die in dem Raum herrschte, war beängstigend. Die einzige Form des Zufälligen war der Hund, weil er sich bewegte. Das war, dachte Inni, ein Raum wie eine mathematische Gleichung. Alles stand im Gleichgewicht, alles stimmte. Ein Blumenstrauß, ein Kind, ein ungehorsamer Hund oder ein Besucher, der zehn Minuten zu früh kam, könnte hier unvorstellbares Unheil anrichten. Die Möbel glänzten und waren weiß, von kalvinistischer, haßerfüllter Modernität. Das unverantwortliche Sonnenlicht zeichnete geometrische Umrisse auf das Linoleum. Zum zweitenmal an diesem Nachmittag beschlich ihn Angst. Was das für eine Empfindung ist? Als sei man einen Augenblick lang jemand anderer, jemand, der sich nicht in seinen Körper einleben kann, so daß es weh tut.

»Setzt euch. Du, Thérèse, möchtest eine Manzanilla. Und was möchte dein Neffe trinken?«

Und dann, unmittelbar zu Inni: »Möchtest du einen Whisky?«

»So etwas habe ich noch nie getrunken«, sagte Inni.

»Gut. Dann schenke ich dir einen Whisky ein. Du kostest ihn aufmerksam und sagst mir dann, was du davon hältst.«

Erinnerung. Ihre rätselhaften Wege. Denn was geschah da nicht alles in den nächsten fünf Minuten? Zu Beginn war da, ganz buchstäblich, der allererste greifbare

Whisky, das Glas Whisky, das es danach nie wieder geben würde. Zum zweiten war da der Mann, an den er später in seinem Leben so oft denken würde, wenn er Whisky sah, trank und probierte. An diesen Mann, durch ihn an seine Tante und somit an sich selbst. Damit war der Whisky seine *Madeleine* geworden, der Griff an der Luke, die man hochwuchten muß, um in die Welt der Geisterschatten hinabzusteigen. Und wieder würden sie so dasitzen. Der Mann: aufrecht, das eine fürchterliche Auge geradlinig auf ihn gerichtet, die Hand, die das Sodawasser eingeschenkt hatte, noch auf dem Rückweg zu einer Ruhestätte in der Nähe ihres Besitzers. Seine Tante: den Kopf zurückgelegt, mit abwesendem Blick, der ziellos umherirrt, die mal gespreizten und dann wieder geschlossenen Beine ausgestreckt, auf dem zu geraden und zu harten Stuhl hängend. Eine Mater dolorosa. Sich selbst konnte er nicht sehen.

»Na, wie schmeckt's?«

Hier wurde eine Begriffsbestimmung gefordert, ein Protokoll, das sein Geschmackssinn auszufertigen hatte, bevor er von einem beliebigen anderen Reiz abgelenkt werden konnte.

»Nach Rauch. Und nach Haselnuß.«

Tausende Gläser Whisky hat er später getrunken. Malt, Bourbon, Rye, die besten und die schlechtesten, pur, mit Wasser, mit Soda, mit Gingerale, und manchmal war plötzlich diese Geschmacksempfindung wiedergekehrt: Rauch, ja, und Haselnuß.

Zu jedem bedeutenden Zeitpunkt im Leben, so dachte er später, müßte man einen Arnold Taads haben, der einen auffordert, genau zu beschreiben, was man fühlt, riecht, schmeckt und denkt bei der ersten Angst, bei der ersten Demütigung, bei der ersten Frau, aber immer sofort im selben Augenblick, so daß das Protokoll rechtskräftig bleibt und nicht mehr verfälscht werden kann durch spätere Frauen, Ängste oder Demütigungen. Gerade diese namentliche Festlegung des ersten Males – Rauch und Haselnuß – würde den Ton angeben für alle späteren Erlebnisse, denn die könnten dann geortet werden, und zwar genau in dem Maße, in dem sie vom ersten Mal abwichen, von dem ersten Mal, das nun für immer geeicht war, und man könnte genau nachprüfen, ob sie dieses erste Mal übertrafen oder hinter ihm zurückblieben, ob sie noch Rauch und ob sie noch Haselnuß waren. Noch einmal Amsterdam zum ersten Mal sehen, noch einmal in die Geliebte zum ersten Mal eindringen, mit der man schon jahrelang zusammenlebt, noch einmal die erste weibliche Brust berühren, streicheln und den Gedanken, der dazu gehört, durch die Jahre hindurch bewahren, so daß alle späteren Male, alle anderen Formen nicht mit der Zeit diese erste Empfindung verraten, verleugnen und verschütten können. Arnold Taads hatte zumindest *eine* Sinneswahrnehmung für ihn geeicht. Alle anderen verschwanden unwiderruflich in späteren Schichten seiner Erinnerung, vermischt, verderbt, ebenso wie seine Hand, die die erste Brust streichelte, die ersten toten Augen zudrückte, seine Erinnerung, ihn selbst und auch diese eine, erste Brust verraten hatte, indem sie älter wurde, sich verformte, die ersten Altersflecken zeigte und verdickte Adern bekam, eine verderbte, zugrunde gerichtete, erfahrene fünfundvierzigjährige Hand, ein früher Vorbote des Todes, in den sich die frühere, schmalere, hellere und behutsamere Hand unerkennbar, unauffindbar aufgelöst hatte, während er sie noch immer »meine Hand« nannte, was er auch weiterhin tun würde, bis eine spätere, lebende Hand sie ihm tot auf die Brust legte, die eine gefaltet in die andere, die ihr einmal so ähnlich war.

»Und was machst du so?«

»Ich sitze in einem Büro.«

»Warum?«

Das gehörte zur Serie der überflüssigen Fragen.

»Um Geld zu verdienen.«

»Warum studierst du nicht?«

»Ich hab kein Abitur. Man hat mich von der Schule gejagt.«

Man hatte ihn von vier Schulen gejagt, aber es schien ihm nicht der rechte Zeitpunkt, das zu erzählen. Das Auge, das unablässig auf ihn gerichtet gewesen war, schwenkte nun, ohne daß der Kopf, in dem es befestigt war, die Bewegung mitmachte, wie ein Scheinwerfer zur Tante, so daß Inni seinen Blick durch den Raum schweifen lassen konnte. Auf dem Kaminsims lagen zwanzig Schachteln Zigaretten, alle von der gleichen Sorte: Black Beauty. Daneben steckten mehrere Silber- und Goldmedaillen in einem Halter. Auf den Medaillen waren skilaufende Männer abgebildet.

»Was sind das für Medaillen?« fragte Inni.

»Wir wollen jetzt mal von dir reden. Vergiß nicht, daß ich mal Notar gewesen bin. Mit solchen Sachen werde ich immer noch fertig. Was willst du werden?«

»Ich weiß nicht.«

Er war sich bewußt, daß das keine gute Antwort war, aber es war die einzige, selbst wenn es jemandem Spaß machte, noch immer mit allen Sachen fertig zu werden. Er hatte nicht die geringste Vorstellung. Eigentlich wußte er mit Sicherheit, daß er nicht nur niemals etwas werden wollte, sondern auch niemals etwas werden würde. Die Welt war doch schon übervoll von Menschen, die etwas waren, und die meisten fühlten sich offensichtlich nicht glücklich dabei.

»Willst du denn in diesem Büro bleiben?«

»Nein.«

Büro! Eine Dachstube in einem Villenviertel und unten ein Verrückter, der da glaubte, er sei Direktor von irgend etwas, und der ihn brauchte, damit er das Personal spielte. Dieser Mann kaufte und verkaufte etwas, und Inni schrieb die Briefe hin und her. Briefe aus Luft, Geschäfte mit nichts. Meistens las er, schaute auf die Hintergärten oder dachte an weite Reisen, ohne viel Sehnsucht, denn er wußte, daß er sie doch einmal machen würde. Es war ein Dasein, mit dem es ohnehin eines Tages zu Ende sein würde, und dies war nun vielleicht schon dieser Tag.

»Geben dir deine Eltern kein Geld?«

»Meine Mutter hat keins, und mein ... mein Stiefvater gibt mir keins.«

5

»Rauch und Haselnuß.«

»Was willst du werden?«

An jenem Nachmittag hatte sein Leben begonnen, und er war nie etwas geworden. Er hatte einiges unternommen, das stimmt. Gereist, Horoskope geschrieben, Gemälde weiterverkauft. Später – noch immer mit diesem Glas Whisky in der Hand auf der Heimkehr in die Gefilde der Erinnerung – kam ihm der Gedanke, daß es gerade das war: Sein Leben hatte aus Ereignissen bestanden, und diese Ereignisse hatten keinen Zusammenhalt durch diese oder jene Vorstellung von seinem Leben. Es gab keinen zentralen Gedanken, wie etwa eine Karriere, eine Ambition. Er war einfach da, ein Sohn ohne Vater und ein Vater ohne Sohn, und es geschahen einige Dinge. Genau betrachtet, bestand sein Leben aus der Aufbereitung von Erinnerungen, und deshalb war es umso betrüblicher, daß sein Gedächtnis so schlecht war, denn das machte seine nun allmählich schon recht langgezogene Durchreise noch zeitaufwendiger, und alle diese Leerstellen verliehen ihr eine beinahe unerträgliche Langsamkeit. Zu seinem Freund, dem Schriftsteller, hatte er ja auch einmal gesagt, sein Leben sei eine Meditation. Es sei dahingestellt, ob er nun durch dieses Glas Whisky oder durch den Umstand, daß er an jenem Nachmittag auch in finanzieller Hinsicht ein Wintrop geworden war, sein

Leben von jenem Tag an rechnete und alles Vorherige als einen Anlauf betrachtete, als schleierhafte Vorgeschichte, über die man nur durch Ausgrabungen einige Erkenntnisse gewinnen konnte, vorausgesetzt, jemand wünschte das.

»Thérèse, warum gibst du dem Jungen kein Geld? Deine Familie hat seinem Vater doch alles abgezwackt.«

Die roten Flecken nahmen zu. Was als eine Grille begonnen hatte, ein Anfall der durch Langeweile ausgelösten Familienkrankheit, der Besuch bei dem unbekannten Neffen, der, wie es schien, etwas Besonderes darstellte, der ihrem Vater widersprochen hatte, der jetzt dasaß mit einem Gesicht, wie es viele gab, die durch ihr Familienalbum geisterten, wahrscheinlich aber mit einem Charakter, der sich von dem der anderen unterschied, nicht frei von Arroganz, nicht frei von Melancholie, ausgeprägt, doch offensichtlich ohne Ehrgeiz, zweifellos faul, zweifellos intelligent, spöttisch und in einem fort beobachtend – eben diese Grille mußte jetzt mit Substanz bezahlt werden, und dazu noch mit einer Substanz, von der sich die Wintrops am wenigsten gern trennten, nämlich mit Geld.

»Ich muß mal sehen, ob ich was locker machen kann«, antwortete sie. »Du weißt ja, wie die Dinge stehen.«

Doch es war eine herrische Stimme, die das Unabänderliche gefordert hatte, die gleiche Stimme, die, sobald sie weg waren, sagen würde: »Eine dumme Frau ist das. Sie wird mir lästig. Das liebe ich gar nicht.«

Sie ordnete etwas Unsichtbares in ihrem Schoß, warf eine imaginäre Vase um. Handlungen, die erstarrten, als Arnold Taads sagte: »Ich werde mir eine anständige Regelung überlegen. Man sorgt dafür, daß Menschen der eigenen Sippe nicht ihre Zeit in Büros vertun.«

»Kommst du dann nächste Woche mit ihm nach Goirle?«

»Du weißt, daß mir das ungemein zuwider ist und daß ich die Gesellschaft dieses Mannes, den du da hast, nur schwer ertrage. Aber ich werde es tun. Ich bringe Athos mit. Und unter keinen Umständen gehe ich in die Kirche. Wenn du den Wagen schickst, sind wir am Sonnabend um elf Uhr abfahrtbereit.«

Das Auge suchte Inni.

»Und du kündigst deine Stelle, denn das ist sinnlos, das sehe ich schon. Du wirst dich so etwa ein Jahr lang hinsetzen und lesen oder auf Reisen gehen. Du eignest dich nicht zum Untergebenen.«

Un-ter-ge-be-ner. Ein fünfsilbiges Wort besaß bei dieser Stimme auch eine fünffach abgestufte, jeweils getrennt verpackte Dosis des Nachdrucks. Es ist, dachte Inni, noch kein einziges Wort von dem, was dieser Mann an diesem Nachmittag geäußert hat, aus dem Raum entschwunden. Wie greifbare Dinge stehen sie irgendwo zwischen den Möbeln aufgestapelt. Da gibt es kein Entkommen.

»Nun, Thérèse, es ist fast fünf Uhr. Meine Lesestunde. Dein Neffe kann zum Essen bei mir bleiben, wenn er das will. Dich sehe ich am Sonnabend. Sag deinem Chauffeur, daß er pünktlich sein soll.«

Sie flitzte zum Zimmer hinaus. Er sah sie den Gartenweg entlangstürmen und hörte den Wagen schnell abfahren. Er wischte die Feuchtigkeit weg, die ihr hastiger Kuß auf seiner Wange hinterlassen hatte.

Arnold Taads kam wieder herein – eine Uhr irgendwo im Haus schlug fünfmal –, griff nach einem Buch und sagte: »Ich lese bis dreiviertel sechs. Amüsier dich inzwischen.«

Eine eherne Stille senkte sich auf den Bungalow. Inni wußte genau, was das für eine Stille war, er hatte sie früher schon einmal wahrgenommen, in einem Trappistenkloster. Das Klopfen an der Tür, das Gescharre, das gedämpfte Rascheln schwerer Gewänder auf den Gängen, die Schritte, so leise, als läge Schnee. Dann der Einzug in die Klosterkirche, das trockene, hölzerne Klopfzeichen als Beginn einer halben Stunde gemeinsamen Meditierens. Wie versteinert hatte er von der Besuchergalerie hinabgeschaut auf die weißen, totenstillen Gestalten in den kalten, hohen Chorbänken. Alte Männer, junge Männer, vertieft in einem für ihn unerreichbaren Gedanken. Einmal hatte er gesehen, wie einer dieser Männer eingeschlafen war und langsam vornüber kippte – wie ein Stück Holz. Abermals ein trockenes Klopfzeichen, Stein auf Holz. Der Mann fuhr aus seiner Benommenheit erschrocken hoch, rappelte sich auf, erschien auf dem steinernen, schwarz-weiß gewürfelten Fußboden zwischen den Chorbänken, verneigte sich und verneigte sich wieder und klappte vor dem Abt zusammen, der ihm wortlos, durch ein Zeichen, seine Strafe auferlegte: Prosternation. Die lange weiße Gestalt fiel wie ein toter Schwan zu Boden, die Hände in möglichst weitem Abstand von den Füßen, so lang ausgestreckt, wie es nur ging, ein eingeebneter, erniedrigter Mensch. Und keiner von diesen Männern hatte aufgeschaut. Nur das Klopfzeichen Stein auf Holz, der Ring des Abtes, einige

Schritte, das Rascheln der Gewänder hatten die Stille unterbrochen.

Nun war er wieder in einem Kloster, einem Ein-Mann-Kloster, und dieser Mann war Mönch und Abt in einem.

Inni zog es nach einem gewissen Örtchen, doch er wagte nicht, sich zu bewegen. Oder würde ihn dieser Mann gerade dann verachten, wenn er wie eine Puppe sitzen blieb, ohne etwas zu tun? Langsam und ganz leise stand er auf, ging an dem lesenden Mann vorbei, der nicht aufsah – auf dem Buchumschlag las er »Existentialismus« ... »Humanismus«–, zum Klavier: Schubert ... Impromptu, und von dort auf den Korridor. Auf dem WC lag eine »Haagse Post«, die er mitnahm, als er zurückging. Er blätterte die losen Seiten um, als dürften sie keine Luft bewegen, und las die Witze, die er sein ganzes Leben lang lesen würde.

Nach dem persischen Aufstand war nun Ägypten der Hauptpunkt auf der Liste der heiklen Zankäpfel des Westens.

Die »Prawda« hat sich in einem langen, heftigen Artikel gegen die Bermuda-Konferenz ausgesprochen, die Präsident Eisenhower einberufen hatte, um darüber zu beraten, ob man mit dem Kreml reden solle, wie Sir Winston es wünschte, oder ob es besser sei, die Zähne zu zeigen, wie Präsident Eisenhower es empfahl.

Der französische Präsident Vincent Auriol hat Paul Reynaud mit der Bildung einer neuen Regierung beauftragt. – Geschichte.

Wie viele Namen mußten sich noch in seinem Gedächtnis einnisten und ihn durchströmen, bis diese ganze, sich stets vernichtende und erneuernde Kaste ihm schließlich ein für allemal gleichgültig werden würde? Sie trugen Gesichter, die aussahen wie das Schicksal des Tages, das sie zu bestimmen glaubten, obwohl sie doch auch nur die blinden Masken einer Macht waren, die sich durch die ganze Welt hinzog. Man durfte ihnen nicht allzuviel Beachtung schenken, das war alles. Doch das, was man Regieren nennt, diese vermessene Begierde, Vollstrecker des Schicksals zu sein, dieses vergängliche Gesicht des geheimnisvollsten aller Ungeheuer, des Staates, das kam ihm erst später, viel später, verächtlich vor.

Genau drei Viertel sechs hob der Hund den Kopf, legte Arnold Taads das Buch beiseite.

»Athos! Spazieren gehen!«

Sie traten aus dem Haus und tauchten in den gewölbten, dunklen Schatten des Waldes. Schon bald verließ sein Gastgeber den Weg, der seiner ehemaligen Geliebten soviel Unannehmlichkeiten bereitet hatte, und schlug einen schmalen Seitenpfad ein. Doch bei Taads konnte keine Rede sein von Stolpern oder Fallen. Inni machte es Mühe, dem Waldläufermantel vor ihm zu folgen. Der Hund hingegen schien genau zu wissen, wohin der Spaziergang führt. Die Anwesenheit des Mannes war nicht mehr wahrnehmbar und ließ sich nur aus dem hastigen Rascheln der toten Blätter ableiten, irgendwo vor ihnen. »Sartre«, so kam es aus dem welligen grauen Haar, dem ziemlich kleinen Schädel, dem Mantel aus Sämischleder, der Manchesterhose und den Schuhen aus Juchtenleder vor ihm, »Sartre sagt, daß wir aus der Tatsache, daß es Gott nicht gibt, die letzte Konsequenz ziehen müssen. Glaubst du an Gott?«

»Nein!« rief Inni. Dieser Mann hatte ja immerhin gesagt, daß er während des bevorstehenden Besuches bei der Tante nicht mit in die Kirche gehen wollte.

»Seit wann nicht mehr?« fragten die Tannenbäume und Brombeersträucher.

Er wußte genau, wann das gewesen war, doch ob er es sagen würde, wußte er nicht. Er hatte mit Wein und Blut zu tun gehabt, mit echtem Wein und echtem Blut. Und das mach mal anderen klar. Am besten wäre es natürlich zu sagen, das bißchen Glaube, das er besessen hatte, sei einfach aus ihm herausgesickert wie das Öl aus einem defekten Motor. Schließlich hatte er bis zu seinem zwölften Lebensjahr von katholischer Erziehung kaum etwas zu spüren bekommen. Er war getauft worden, aber seine Eltern hatten sich nicht kirchlich trauen lassen können, weil sein Vater schon einmal verheiratet gewesen war. Und so war der erniedrigende Samen, dessen Wildwuchs andere ihr ganzes Leben lang ertragen mußten, zu spät in den Boden gekommen, um richtig Wurzel fassen zu können. Erst eine spätere Ehe seiner Mutter mit einem sehr gläubigen Katholiken hatte ihn mit dieser Religion unmittelbar in Berührung gebracht. Doch es war lediglich die theatralische Außenseite, die ihn gefesselt hatte, das Singen, der Weihrauch und die Farben hatten ihm sehr gut gefallen, so gut, daß er sogar ohne zu glauben ins Kloster gehen wollte. Etwas anderes, was ihm an der katholischen Religion durchaus gefiel, war der Umstand, daß andere fest daran glaubten. Im Pensionat hatte er sich jeden Morgen um sechs Uhr als Meßdiener des halb schwachsinnigen Pater Romualdus betätigt, der zu alt war, um Unterricht zu geben, und der nur noch ab und zu die Aufsicht führen durfte. Für den rülpsenden Mann vor dem Altar war es in der Tat zutreffend, daß sich, wenn er »hic est enim Calix Sanguinis mei« flüsterte, dann das bißchen Rotwein plötzlich in Blut verwandelte, zu Blut wurde, »mysterium fidei«, zu Blut von jemandem, der schon fast zweitausend Jahre tot war, das der in Brokat gehüllte alte Mann, der sich am Rand des Altars festhielt, wenig später für diesen »zu Meinem Gedächtnis« austrinken würde, zu Blut, dessen letzte Spuren Inni beseitigen würde, indem er ein Fläschchen Wasser auf den goldenen Boden des Kelches goß, der ihm mit zitternden, gefleckten Altmännerhänden entgegengehalten wurde und in dem noch einige Tropfen – Götterblut, Menschenblut – zurückgeblieben waren. Er hatte das unsäglich geheimnisvoll gefunden, aber deshalb mußte man ja noch nicht daran glauben. Der Mann dort, mit dem er sich in diesen düsteren, kalten Morgenstunden befassen mußte, der Mann, der sich vor der kleinen Schlachtbank hin und her drehte wie eine goldbestickte Kröte, wenn der daran glaubte, dann geschah es schließlich auch, selbst wenn dieses Glauben nur in diesem halb erweichten Hirn vor sich ging, das die lateinischen Sprüche unverantwortlich durcheinanderwürfelte, selbst wenn Inni mit seiner schrillen Knabenstimme den Eigentümer dieses Hirns in eine theologisch untadelige Ordnung zurücklenken mußte. Aber nicht nur das war es. Es war auch die Vorstellung von der Opfergabe, von der Opferung. Sie waren in ihrer merkwürdigen Zweisamkeit – der eine sechzehn, der andere hoch in den Achtzigern – schließlich doch mit geheimnisumwitterten, altertümlichen Ritualen beschäftigt, die ihm, Inni, das Gefühl vermittelten, tief in die Zeit zurückzuversinken, nicht mehr in diesem elenden, neugotischen Hinterhofviertel gefangenzusitzen, sondern in der Landschaft des alten Griechenlands, in der Welt Homers angelangt zu sein, deren Geheimnisse sie tagtäglich im Unterricht zu ergründen suchten, oder bei den Tieropfern, die die Juden dem Gott mit der schrecklichen Stimme darbrachten, dem Gott, der hoch droben über den brennenden Wüsteneien thronte, dem Gott der Rache – dem aus dem brennenden Dornbusch und dem von Lots Weib –, einem Gott, der, wie Inni dachte, einem Kosmos voller Leere und Angst und Strafe um sich herum schuf, für diejenigen, die an ihn glaubten. Was sie da trieben, Pater Romualdus und er, das hatte mit dem Minotaurus zu tun, mit Götteropfern und Rätseln, mit Sibyllen, mit Schicksal und Verhängnis. Es war ein ganz kleiner Stierkampf für zwei Herren, wobei der Stier zwar fehlte, jedoch aus einer Wunde blutete, die leergetrunken wurde, ein Geheimnis, begleitet von leisem lateinischem Geflüster. Einmal aber, und dann für alle Zeit, verging die Zauberei in nichts. Der Kelch wurde emporgehoben, dorthin, wo über der Klosterkirche die Sonne schon bald ihre Bahn antreten würde, als der alte Mann plötzlich erbebte. Den Schrei, der dann ertönte, sollte Inni nie vergessen, nie. Die emporgehobenen Hände lösten sich vom Kelch, der Wein, das Blut strömte über das Meßgewand, über das Altarkleid, das die verkrampften Hände des Mönchs mit einem Ruck vom Altar zerrten, Kerzen, Hostie und Patene mit sich reißend. Ein Schrei wie von einem großen, zu Tode getroffenen Tier, schmetterte gegen die steinernen Mauern. Der Mann fingerte an seinem Meßgewand, als wolle er es auseinanderreißen, und dann brach er, – langsam, noch immer schreiend, – zusammen. Sein Kopf schlug auf den Kelch, und Blut quoll aus ihm hervor. Als er schon tot war, blutete er noch immer. Rot vermischte sich mit Rot auf den Inseln glänzender Seide zwischen dem Goldbrokat. Es war nicht mehr zu erkennen, was welches war: Der Wein war zu Blut, das Blut war zu Wein geworden.

Der verschwundene Hund, das Schweigen des Waldes, die geräuschlosen Schritte Old Shatterhands und sein eigenes Städtergeraschel warteten noch immer auf eine Antwort.

»Ich weiß nicht. Vielleicht habe ich überhaupt nie an etwas geglaubt!« rief er nach vorn. Dem folgte das hämische Kichern der Elster. Und plötzlich saß der ganze Wald voller Kirchenväter, Inquisitoren, Märtyrer, Bekenner, Agnostiker, Heiden, Philosophen, Jubilierer und Schreihälse. Theologische Argumente flogen hin und her. Zwei Finken redeten über das Konzil von Trient, ein Kuckuck bekräftigte die Summa Theologica, ein Specht bestätigte die einunddreißig Thesen, Spatzen verurteilten Bruno noch einmal zum Scheiterhaufen, Spinoza, der Reiher, Kalvin, die Krähe, das unverständliche Gurren der spanischen Mystiker; schilpend, schnatternd, gurgelnd und glucksend besangen die Vögel in Wald und Feld die zwei blutigen Jahrtausende der Kirchengeschichte, von den ersten, in die Mauern geritzten Fischen, die in die düsteren Katakomben hineingeschwommen waren, bis zu dem Geist, der Paulus als Einwohner von Nagasaki zu Asche versengte, von der Bestürzung der Jünger, die

gen Emmaus wanderten, bis zum unfehlbaren Amts-
träger auf dem Stuhl des Fischers. Ganze Tonnen des
gleichen Menschenblutes waren seitdem vergossen
worden, millionenfach war der gleiche Leib verzehrt
worden, weil es nun einmal keine Stunde und keinen
Tag gab, zu der und an dem das nicht geschah, am
Nordpol, in Birma, Tokio oder Namibia (oh, Zita!),
sogar zu dem Augenblick, als die beiden Ungläubigen
hier unter den Linden herumliefen, der eine mit dem
Kopf voller Sartre und der andere mit dem Kopf voller
Nichts.

Sie kamen an eine Lichtung im Walde. Summend
beflogen die Hummeln die bräunlich-violetten Blüten
der Tollkirsche.

Alles bebte und raschelte.

»Athos! Hierher!«

Aus dem Nichts erschien der Hund und legte sich
seinem Herrn zu Füßen, der wie ein Freiluftprediger
mitten auf der Lichtung stehenblieb, das späte Sonnenlicht mit seinen sämischlederbedeckten Schultern auf-
fangend. Die Stimme Arnold Taads' erfüllte den ganzen Wald wie ein Element, wie Wasser oder Feuer.

»Ich weiß genau, zu welchem Zeitpunkt ich aufhörte,
an Gott zu glauben. Ich war immer ein guter Skiläufer.
Vor dem Krieg war ich mehrmals niederländischer
Meister im Skilauf. Das mag nicht viel heißen, ich war
aber eben der Beste. Und diese Meisterschaften wurden natürlich nicht in den Niederlanden ausgetragen,
sondern im Gebirge. Hast du schon mal ein Gebirge
gesehen?«

Inni schüttelte verneinend den Kopf.

»Dann hast du noch nicht gelebt. Berge sind die Majestät Gottes auf Erden. Zumindest glaubte ich das. Ein Skiläufer – allein im Hochgebirge – unterscheidet sich von anderen Menschen. Er ist hoch, und er ist einsam. Es existieren nur zwei Dinge: er selbst und die Natur. Er ist au pair mit der übrigen Welt. Verstehst du das?« Inni nickte.

»Mit Menschen habe ich nie viel im Sinn gehabt. Die meisten sind Feiglinge, Konformisten, Wirrköpfe und Geldhyänen, und sie bedrecken sich gegenseitig. Davon hast du da oben nichts auszustehen. Die Natur ist sauber, ebenso wie die Tiere. Ich liebe diesen Hund mehr als alle Menschen zusammen. Tiere sind in Ordnung, good for them. Als der Krieg zu Ende war und wir schließlich erfuhren, was alles geschehen war, – Verrat, Hunger, Mord, Vernichtung, alles Menschenwerk, – da habe ich die Menschen erst recht verachtet. Nicht das Individuum, sondern die Art, die mordend, lügend und angsterfüllt in den eigenen Tod rennt. Tiere sind straight, Tiere haben keine Slogans, sterben nicht für jemand anderen, auch nicht für mehr, als ihnen gehört. In der modernen Schwächlingsgesellschaft ist die Hackordnung ein verpönter Begriff, aber bevor wir in der Entwicklungsgeschichte erschienen, hat sie eine ausgezeichnete Wirkung gehabt. Gut, ich hatte genug davon. Ich gab mein Notariat auf, ich verbrannte alles hinter mir, ich brach mit meiner Frau, herrlich! Und ich setzte mich nach Kanada ab. Da bin ich in den Rocky Mountains Feuerwächter geworden. Monate hintereinander saß ich auf dem Gipfel eines Berges. Überall unter mir lagen unendliche Waldlandschaften. Die habe ich angestarrt. Wenn ich Rauch sah, mußte ich Meldung erstatten. Ich wurde aus der Luft versorgt. Einmal in der Woche warf eine Maschine über dem Gelände neben meiner Hütte Lebensmittel, Zeitungen und Post ab. Sechs Monate bin ich da oben geblieben, allein, mit meinem Hund und meinem Freund, dem Funkgerät, das ich nicht für den stumpfsinnigen Tingeltangel benutzte, den man da sonst hört, sondern um nachts mit den Leuten auf anderen Feuerwachposten ins Gespräch zu kommen. Zwei Fingerbreit Whisky habe ich mir pro Tag zugeteilt«, er streckte zwei aneinandergedrückte Finger in der Waagerechten nach Inni aus, »und niemals mehr. Hätte ich nur ein einziges Mal mehr genommen, ich wäre verrückt geworden. Dann hätte man einen tobenden Verrückten nach unten befördern können. Ich habe das alles aufgeschrieben.«

Inni war nie im Gebirge gewesen, doch das hinderte ihn nicht, sich von eben diesem Mann, der hier vor ihm stand, eine Vorstellung zu machen, und zwar in einer weißen Eiswelt. Vier schweizerische Ansichtskarten umgaben die kleine Blockhütte. Der Mann hatte den selben Mantel aus Sämischleder an, den er auch jetzt trug. Der Hund schlief zu seinen Füßen. Die Whisky-Stunde war gekommen, der Sturmwind heulte um die Hütte, die Ansichtskarten waren erbost. Aus dem Funkgerät kam das Knacken und Jaulen einer fernen, verachteten Welt. Der Mann stand auf, ging zum Schrank und holte die Whisky-Flasche und ein Glas vor (zuvor hatte er auf die Uhr geschaut). Dann hielt er zwei aneinandergedrückte Finger neben dem Glas auf die Tischplatte, nein, einen Millimeter darüber, weil ja auch die Dicke des Bodens bedacht werden mußte, und schenkte ein. Gluck, gluck! Erst ein Weilchen später nahm er einen Schluck. Geschmack von Rauch und Haselnuß.

»Und eines Tages dachte ich: Eine Landschaft, die durch ihre, wollen wir mal sagen, objektive Majestät die Vorstellung von Gott heraufbeschwört, kann natürlich ebensogut seine Abwesenheit nahelegen. Gott ist gemacht nach dem Bild und dem Gleichnis des Menschen, nach einer gewissen Zeit kommt doch jeder dahinter, außer denen, die niemals hinter etwas kommen. Doch die Menschen verachtete ich, einschließlich«, hier eine geringfügige Hebung der Tonlage, die diesem Wort eine abgehackte Selbständigkeit verlieh, so daß es losgelöst und inhaltsgeladen im Raum zwischen ihnen hängenblieb, »selbstverständlich meiner eigenen Person. Ich bin mir restlos zuwider. Wie sehr ich auch Hunde und Berge lieben mochte, Gott in der Gestalt eines Hundes oder eines Berges konnte ich mir nun auch wieder nicht vorstellen. Und so verschwand der Gottesgedanke aus meinem Leben – wie ein Skiläufer, der einen Abhang hinabfährt, ins Tal hinein. Kannst du dir das vorstellen? Aus der Ferne gesehen ist eine solche menschliche Gestalt schwarz, und sie prägt sich wie eine Kalligraphie der weißen Schneedecke auf. Eine lange, zierliche Bewegung, ein geheimnisvoller, unleserlicher Buchstabe, der geschrieben wird, etwas, was da ist und plötzlich nicht mehr da ist. Die Gestalt ist dem Blick entschwunden, sie hat sich selbst beim Schreiben aufgebraucht, und nichts ist von ihr zurückgeblieben. So auch Gott. Ich war zum erstenmal einsam auf der Welt, aber er hat mir auch nicht gefehlt. Gott klingt wie eine Antwort, und das ist das Verderbliche an diesem Wort, das so oft als Antwort gebraucht wird. Er hätte einen Namen haben müssen, der wie eine Frage klingt. Ich habe nicht darum gebeten, einsam auf der Welt zu sein, aber das hat niemand. Denkst du jemals über diese Dinge nach?«

Inni wußte bereits, daß der fragende Ton, in dem dieser Satz ausgesprochen wurde, keine Auskunft forderte, sondern einen Befehl enthielt. Seine Personalakte wurde ausgefertigt, ihm wurde Maß genommen, zwischen ihm und diesem Mann wurden Urkunden ausgetauscht. Was aber sollte er sagen? Er empfand eine seltsame Gleichgültigkeit. Die Wärme, die halb verborgenen Blütenfarben, die Linden über ihm, die sich sanft wiegten, alle diese Dinge, die sich gleichzeitig vollzogen, diese ganze Fabrik von Sinneswahrnehmungen, der Hund, der sich streckte und zögernd ein Stückchen weiter lief, dorthin, wo noch Sonne war, dieses ganze neue Leben, das erst an jenem Nachmittag begonnen hatte, ihm aber schon so lang vorkam, diese hämmernde Stimme, die dauernd über sich selbst sprach, der Whisky, den er zu trinken bekommen hatte, das alles gab ihm das Gefühl der Abwesenheit. Es geschah so viel, da konnte man auf ihn wohl recht gut verzichten. Er war das Gefäß, das vollief. Spräche er jetzt, würden alle diese neuen, kostbaren Empfindungen aus ihm wegsickern. Er hörte alles, was dieser Mann sagte, aber wovon war eigentlich die Rede?

»Denkst du jemals über diese Dinge nach?« Was ist Denken? Er hatte Gott niemals wie einen Skiläufer zu Tal fahren sehen. Gott war ein Weinfleck auf einem Meßgewand, Altmännerblut auf der eisigen Quaderstufe eines Altars. Aber das sagte er nicht.

»Nein, niemals«, sagte er.

»Warum nicht?«

»Das beschäftigt mich nicht.«

»Ach so.«

Er wußte, daß von ihm eine Antwort weltbewegenderen Zuschnitts erwartet wurde, aber er hatte keine bereit.

»Weißt du etwas über den Existentialismus?«

Na und wie! Als er das letzte Jahr im Internat war, hatten sie sich an drei Diskussionsabenden damit befaßt. Sartre, die Wahl der Möglichkeiten, Juliette Gréco, Kellerräume mit Kerzen, schwarze Pullover, junge Burschen, die in Paris gewesen waren und Gauloises mitgebracht hatten, die man in den Niederlanden nicht bekommen konnte. Kalter Camembert und Weißbrot, wovon eben diese Freunde behaupteten, daß es mit echtem französischem Weißbrot nicht im entferntesten zu vergleichen sei. Das sei nämlich viel knuspriger. Verzweiflung und Ekel waren da auch mit im Spiel. Der Mensch war auf die Erde geworfen worden. Dabei mußte er immer an Ikarus denken, und auch an die anderen großen Abstürzer, Ixion, Phaeton, Tantalus, alle diese Abspringer, ohne Fallschirm aus einer Welt der Götter und Helden, die ihn viel mehr interessierten als diese seltsamen Abstraktionen, unter denen er sich nichts vorstellen konnte. Eine sinnlose Welt, in die man hineingeworfen worden war, ein Dasein, das bedeutungslos war, es sei denn, man ordnete ihm von sich aus eine Bedeutung zu. Das klang noch immer nach Kirche, dem haftete der verdächtige, kaum wahrnehmbare Geruch des Märtyrertums an. Am besten, so dachte Inni, kam das doch noch durch den Geschmack und den Geruch der Gauloises zum

Ausdruck: stark, bitter, mit nichts anderem zu vergleichen. Ein Geruch, der etwas Gefährliches an sich hatte. Tabak, der mit bitteren, kleinen Stacheln an der Zunge hängenblieb, dieses unförmige Päckchen, blau wie Billardkreide. Damit konnte man sich die Angst wegrauchen. Aber dieses Wort würde er diesem Mann gegenüber nie aussprechen.

»Nicht viel.«

Was wollte dieser Meister des Skisports denn eigentlich mit Philosophie anfangen? Was hatte er mit dem kleinen, schiefäugigen Gelehrten zu tun, dessen Bild jetzt so regelmäßig in Zeitungen und Zeitschriften auftauchte? Denken, was war das denn nun eigentlich genau? Er las viel, doch was er las, und nicht nur das, auch alles, was er sah, Filme, Gemälde, setzte er in Gefühl um, und dieses Gefühl, das sich nicht so ohne weiteres in Worten ausdrücken ließ, dieses formlose Etwas aus Empfindungen, Eindrücken und Beobachtungen, das war seine Denkweise. Man konnte sich da mit Worten drumherumwinden, doch das Unausgedrückte behielt noch immer die Oberhand. Auch später würde noch ein gewisser Unmut in ihm aufkommen im Umgang mit Menschen, die klare und genaue Antworten haben wollten oder so taten, als könnten sie diese geben. Gerade das Rätselhafte an allem machte Spaß, und da sollte man doch nicht versuchen, Ordnung hineinzubringen. Tat man es dennoch, so würde unweigerlich etwas verlorengehen. Daß Geheimnisse geheimnisvoller werden können, indem man mit Präzision und Methode darüber nachdenkt, wußte er noch nicht. Er fühlte sich heimisch in seinem Gefühlschaos. Und um das fein säuberlich für den

Karteikasten zu verzetteln, mußte man erwachsen sein, aber dann war man plötzlich festgelegt, fertig und eigentlich auch schon ein bißchen tot.

»Ich meine nicht den christlichen, sondern den atheistischen Existentialismus.«

Mach dich doch ans Skilaufen! Rausch doch den Abhang runter, deinem verschwundenen Gott hinterher! Oder setz dich auf einen Berggipfel. Paß auf, ob's irgendwo brennt. Hau ab! Hör auf!

»Aber das geht mir doch zu weit. Der ethische und humanistische Blickwinkel gefällt mir daran nicht. Da wird dem Menschen ein bißchen Seligkeit eingetrichtert, und dann tappt er wie ein Clown im Dunkeln herum und sucht nach dem Ausgang. Das gefällt mir nicht. Das ist nicht unbarmherzig genug. Verstehst du mich?«

Er nickte. Diese Worte verstand er. Nebelschwaden, so außer Reichweite wie die tanzenden Lichtflecke hochin den Bäumen. Wievielmal gibt es eigentlich die Farbe Grün?

»Wenn Sartre sagt, daß der Mensch auf die Welt geworfen wurde, daß er allein steht, daß es keinen Gott gibt, daß wir verantwortlich sind für das, was wir sind und was wir tun, dann sage ich *ja*.« Die Bejahung echote durch den Wald. Der Hund spitzte die Ohren. Diesem Mann fehlt einer, mit dem er reden kann, dachte Inni.

»Wenn er dann aber auch noch wünscht, daß ich für die Welt und für die anderen verantwortlich bin, dann sage ich *nein*! Nein. Warum sollte ich auch. ›Wenn der Mensch sich selbst wählt, wählt er alle Menschen.‹ Wieso? Ich habe um nichts gebeten. Mit dem Gesocks um mich herum habe ich nichts zu schaffen. Ich lebe meine Zeit zu Ende, weil's nicht anders geht, das stimmt.«

Als wolle er unverzüglich damit anfangen, machte er eine blitzschnelle Kehrtwendung und verschwand im Wald. Der Hund war ihm schon vorausgeeilt.

6

War er jetzt doch aufs Denken verfallen? Offensichtlich wirkte das ansteckend. Solange jemand nicht selbst etwas tut, wird sein Leben durch die Menschen und Dinge bestimmt, die darin auftreten. Ihre Anwesenheit bringt einen trägen Strom von Ereignissen mit sich, den man dann hinter sich herschleppen muß: tote Väter, im Ausland lebende Mütter, Internate, Vormundschaften und nun auch noch eine Tante und einen Meister des Skisports. Mit einer gewissen Genugtuung kam ihm der Gedanke, daß er auch jetzt wieder nichts dazu hatte tun müssen. Doch wie kam es dann, daß ihm – obwohl ihn das Gefühl beherrschte, er selbst habe nichts getan und alles sei bisher nur so über ihn gekommen – sein Leben so lang erschien? Tausende von Jahren war er schon da, und wenn er Zoologie studiert hätte, wären es Millionen gewesen. Kein Wunder, daß man bei einer solchen Vergangenheit nichts behalten konnte, und zugleich auch seltsam, was man so alles behielt. Noch viel seltsamer aber die Parität dessen, was man behielt: Die Nachricht vom Tode seines Vaters lag auf der gleichen Linie wie alle möglichen anderen Ereignisse, die damit verkoppelt waren, wie etwa Thalassa Thalassa, die Kreuzigung Christi und der Reichstagsbrand. Letztlich ging es doch immer um einen selbst, denn wenn man es auch nicht selbst erlebt hatte, so hatte es sich doch in das eigene Leben hineingewoben. Schließlich und in letzter Instanz war es der eigene Körper, der diese Sachen für einen aufbewahrte. Merkwürdige chemische Prozesse im Gehirn haben bewirkt, daß einem das Paläozoikum ins Bewußtsein drang, wodurch es zum Bestandteil der persönlichen Erfahrung wurde – auf welche Weise auch immer –, und man stand in Verbindung mit jenen unvorstellbar fernen Zeiten, denen man durch den gleichen geheimnisvollen Mechanismus bis zum Tode angehören würde. Somit wurde das eigene Leben unendlich gedehnt, das war nicht zu leugnen. Er fühlte sich plötzlich sehr alt.

Das Schweigen des Mannes, der eben noch so viel geredet hatte, wurde drückend. Hatte dieser Mann ihn vielleicht gewogen und zu leicht befunden?

Der Wald wurde spärlicher und heller. Die Baumstämme wurden weniger, und durch die letzte, schüttere Schar glänzte ein hoher Lichtbogen, unter dem sie sogleich hindurchgehen würden und der die violette Heidefläche in eine verträumte, nebelhafte Glut tauchte, so daß alles sehr leer und sehr still erschien.

Er wäre gern ein wenig stehengeblieben, aber noch lieber hätte er sich niedergelegt, das Gesicht in die scharfen, körnigen Pflanzen gedrückt und den Körper an den Boden geschmiegt, wie er es so oft tat, wenn er allein war, weil er dann das Gefühl bekam, er wühle sich in die Erde hinein, er vermische sich wirklich mit ihr, mit den Knien, dem Brustkasten und dem Kinn, mit allem, was an ihm hart und knochig war, aber nicht so, wie eine Katze auf dem Kissen liegt, sondern eher wie ein halb verschlicktes Schiffswrack. Aber für Liebesbeziehungen dieser Art war kein Platz bei einem

Rundgang mit Arnold Taads. Wenn er langsamer ging, würde plötzlich sein Name, wie der des Hundes, weithin über die Heide hallen. Davon war er überzeugt.

Oder hatte Taads ihn bereits vergessen? Er schaute weder vor noch um sich und hätte den gleichen Weg auch blind zurücklegen können, mit den gleichen rhythmischen, mechanischen Bewegungen. Ein aufgeregter kleiner Soldat auf dem Marsch. Als sie wieder am Haus eintrafen, schlug es sieben Uhr.

7

Zeit – das lernte Inni an jenem Tage – war im Leben
von Arnold Taads der Vater aller Dinge. Er hatte die
leere, gefahrvolle Fläche des Tages in mehrere genau
abgesteckte Felder zergliedert, und die Grenzmarkie-
rungen, die am Anfang und am Ende eines jeden Feldes
angebracht waren, bestimmten seinen Tag mit uner-
bittlichem, hartem Griff. Wäre Inni älter gewesen,
hätte er sicherlich gewußt, daß die Angst, die Arnold
Taads regierte, ihren Zehnten in Stunden einforderte,
Stunden, halben Stunden, Viertelstunden, willkürlich
vorgezeichneten Bruchstellen in jenem unsichtbaren
Element, das wir zeit unseres Lebens durchwaten. Es
war, als habe jemand in dieser unendlichen Wüste an
einem ganz bestimmten Sandkörnchen verfügt, daß er
nur hier essen oder lesen könne. Jedes der durch diese
Verfügung festgelegten Sandkörnchen beanspruchte
mit zwingender Gewalt die ihm zustehende Tätigkeit,
und schon zehn Millimeter weiter waltete das unerbittliche Geschick. Jemand, der zehn Minuten zu früh
oder zu spät kam, war unwillkommen: Der von Beses-
senheit getriebene Sekundenzeiger blätterte die erste
Buchseite um, hämmerte die erste Note ins Klavier
oder setzte, so wie jetzt, beim siebenten Schlag des
Uhrwerks eine Pfanne Gulasch auf das Feuer.
»Einmal wöchentlich mache ich Essen«, sagte Arnold
Taads, »meistens etwas Geschmortes. Oder einen Ein-

topf. Ich mache ganz genau so viel, daß es reicht. Siebenmal für mich, und einmal für einen Gast. Wenn niemand kommt, kriegt es Athos.«

Es war Inni eine Freude, daß er dem Hund diese Portion wegaß. Er mochte nämlich Hunde nicht besonders, vor allem dann nicht, wenn sie in einer so beklemmenden Symbiose mit ihrem Herrn lebten. Es schlug viertel acht, als sie sich zu Tisch setzten.

»Wenn wir nächste Woche deine Tante Thérèse besuchen«, sagte Taads, »kommst du in ein richtiges Irrenhaus. Die meisten Wintrops haben sowieso schon einen Stich, aber bei ihrer Zuchtwahl kommt der wirkliche Irrsinn zum Vorschein. Am liebsten suchen sie sich einen, der völlig normal ist, und den machen sie ohne viel Federlesens irrsinnig. Oder sie nehmen sich einen, der ihnen nicht mehr viel Arbeit macht, weil er immer schon nicht richtig im Kopf war. Nachdem ich deiner Tante den Laufpaß gegeben habe, hat sie einen völlig Schwachsinnigen geheiratet, einen mit Geld natürlich, und dadurch ist sie, wie du ja selbst gesehen hast, sehr unglücklich geworden. Eine Neurotikerin erster Güte. Ich bin froh, daß ich ihr entwischt bin. Sie war früher eine schöne Frau, sehr attraktiv, aber mit einem stürmischen Besitztrieb, der mir Angst einjagte. Deine ganze Verwandtschaft hat mir ja Angst eingejagt. Sie leidet an zwei Krankheiten: Sie kennt keine Grenzen, und sie möchte nicht gern leiden. Damit meine ich folgendes: Deine Verwandten meiden alles, was irgendwie ein bißchen unangenehm aussieht. Davon wenden sie sich ab. Sie kennen zwar Sentimentalität, aber keine Loyalität. Wenn es schwierig wird, machen sie sich aus dem Staube. Deine Tante findet es ganz lustig, wenn sie dich einfach hier auf meiner Türschwelle absetzt. Aber mit einem ehemaligen Notar hätte sie das lieber nicht tun sollen. Wir werden den Brei mal schön umrühren, damit eine ordentliche Regelung herausspringt. Weshalb ich das tue, mag Gott wissen, vielleicht aus Verdruß. Aber ich habe den Eindruck, daß du ein gewisses Talent besitzt, obwohl ich noch nicht dahintergekommen bin, wofür.«

Er aß so, wie er lief, schnell, mit mechanischen Bewegungen, wie einer, der sich selbst abfüttert. Wenn der, dachte Inni, aus irgendeinem Grund plötzlich den Kopf zur Seite dreht, würde ihm dieser unabhängige, von anderen Instanzen gelenkte Arm die Gabel in die Wange bohren. Halb acht, abräumen, Kaffeewasser aufsetzen. Dreiviertel acht, Kaffee, »meine vierte Zigarette, die fünfte rauche ich vorm Zubettgehen«.

Der schwere Duft von Black Beauty zog durch den Raum.

»Wie ist das so«, fragte Arnold Taads, »wenn man keinen Vater hat?«

Dieser Mann fragte nur nach Dingen, auf die man keine Antwort geben konnte. Also antwortete er nicht. Keinen Vater haben, das war genauso, wie wenn man irgend etwas anderes *nicht* hatte. Und darüber ließ sich eben auch nichts sagen.

»Hat er dir jemals gefehlt?«

»Nein.«

»Hast du ihn gekannt?«

»Bis zu meinem zehnten Lebensjahr.«

»Was weißt du noch von ihm?«

Er dachte über seinen Vater nach, aber weil er das eigentlich zum erstenmal mit Bewußtsein tat, kam es ihm sehr schwierig vor. Sein Vater sagte: »Gehabt euch wohl«, wenn er wegging; einmal hatte er die Mutter geschlagen, als er, Inni, dabei war, und wenn er es recht verstanden hatte, auch noch einmal, als er nicht dabei war. Eines Nachts – als er, vom Luftalarm hochgeschreckt, in panischer Angst nach unten stürmte – hatte er den Vater mit dem Kindermädchen auf dem Sofa angetroffen. In dieser – wie sich aus späterer Rekonstruktion ergab – etwas unbequemen Stellung schickte er Inni wieder ins Zimmer zurück. Später hatte der Vater dieses Mädchen geheiratet. Die Mutter verschwand durch eine jener geheimnisvollen Machenschaften, mit deren Hilfe die Erwachsenen die Welt nach ihrem Geschmack einrichten. Inni war bei seinem Vater und dem Mädchen geblieben, wurde aber in dem Hungerwinter zur Mutter geschickt, die irgendwo in Gelderland wohnte. Am Ende dieses Winters war der Vater bei einem Bombenangriff auf Bezuidenhout ums Leben gekommen. Die Nachricht hatte den Jungen mit großem Stolz erfüllt.

Nun nahm auch er richtig am Krieg teil.

Das Grab des Vaters hatte er nie gesehen, und als er zum erstenmal Interesse dafür bekam, war es nicht mehr da. Es sei eingeebnet worden, hatte jemand gesagt; eine ganz besondere Variante für das Wort »wegräumen«, und so war es ihm auch im Gedächtnis geblieben: Seinen Vater hatte man weggeräumt. Auf vergilbten Kriegsfotos sah er einen Mann mit beginnender Kahlköpfigkeit und mit scharfen Gesichtszügen: ein trübseliger Schreiber aus dem späten Mittelalter. Doch die Mutter hatte erzählt, er habe auf Kneipentischen zu Zigeunermusik getanzt. Das waren seine Erinnerungen an den Vater, und es gab nur eine Schlußfolgerung: Sein Vater war ein richtiger Toter.

»Ich weiß davon nicht mehr viel.«

Jetzt Taads wieder, diesmal in der Verkleidung des Professors.

»Sartre sagt: ›Wenn du keinen Vater hast, brauchst du kein Über-Ich mit dir herumzuschleppen.‹ Keinen Vater auf dem Rücken, kein zwingendes Regulativ mehr in deinem Leben. Nichts, wogegen man sich abgrenzt, was man haßt, worauf man sich im Verhalten ausrichtet.«

Davon weiß ich überhaupt nichts, dachte Inni. Wenn das bedeuten sollte, daß er auf der Welt allein war, dann stimmte das allerdings. Der Ansicht war er auch, und das gefiel ihm ausgezeichnet. Andere Menschen, wie diesen hier vor ihm, mußte man auf Abstand halten. Und sie durften auch nicht zuviel über einen reden. Solange sie über sich selbst redeten oder über seine Verwandten, von denen er ja keinen kannte, war alles in Ordnung. Er war zweimal aus Internaten weggeschickt worden, weil er »nicht zu den anderen Jungen paßte«, »nicht mitmachte« und »einen nachteiligen Einfluß auf die anderen Schüler ausübte«. Sie haßten ihn, das wäre ein besserer Ausdruck dafür gewesen. Sie hatten Litaneien des Hasses in sein Bett gelegt (»saure Zitrone, bitte für uns«), doch das hatte ihn seltsam unberührt gelassen. Es waren eben andere Jungen. An den Besuchstagen waren sie von Verwandten umlagert, von Vätern in braunen Anzügen und Müttern in geblümten Röcken. Damit hatte er nichts zu tun, ebensowenig wie mit diesem Mann, der sich in sein Leben verirrt hatte. Er gewährte ihnen ja doch keinen

Zutritt, darauf lief es letztlich hinaus. Es war, als spiele sich alles auf einem Filmstreifen ab. Er saß zwar im Zuschauersaal und verfolgte aufmerksam die Handlung, zumal wenn ein Schauspieler mitwirkte, der so fesselnd war wie dieser hier, aber so richtig dabeisein, das konnte er nicht. Er blieb, selbst wenn er für den Schauspieler Sympathie empfand, eben nur ein Zuschauer. Wenn man gar nichts sagte, kamen die Geschichten von selbst.

Und sie kamen.

In dem stillen Zimmer wurde wie in einem Rezitativ die Geschichte seiner Familie aufgeblättert, nach dem Evangelium des Arnold Taads. Für die Beschwingtheit einer Arie war in diesem vernichtenden Bericht kein Platz. Statt dessen kam ab und zu ein tiefer, aus dem Abgrund von Verdammung und Trübsal aufbrodelnder Seufzer des Hundes, ein Seufzer, der von dem anonymen Komponisten meisterhaft ins Werk eingefügt war, denn immer genau während des kurzen Intervalls nach der Beschreibung von Wider- und Irrsinn, Abwegigkeit oder Ungeheuerlichkeit eines Wintrops ließ der Hund mit ausgeprägtem Sinn für Effekt einen Luftstrom aus den unterirdischen Labyrinthen entweichen, mit denen er offenbar in Verbindung stand.

Ob die das irgendwie proben? dachte Inni. So lange leben Hunde aber auch wieder nicht, und in Anbetracht der einen zusätzlichen Gulaschportion wöchentlich rechnete man offensichtlich nicht mit sehr viel Besuchern. Die einzig mögliche Antwort darauf war, daß diese Referate, Predigten und Rezitative auch in der Einsamkeit aufgeführt wurden, wobei der Hund als Continuo, Interpunktion und Emphase diente.

Luft, air, auf jeden Fall hatte dieses geniale Tier gelernt, den unsichtbaren Luftstrom, der uns umgibt und zum Teil durch uns hindurchgeht, mit Affekten und Affirmationen auszustatten, die Pointen von Schicksalhaftigkeit und Abscheu zu entdecken und diese nicht frei in der übrigen indifferenten Luft herumhängen zu lassen – eine willkommene Beute für die vernichtende Metronomik des Pendels –, sondern sie in künstlerischer Verknüpfung mit seinem einäugigen Herrn mit etwas anzureichern, was sowohl das Echo des soeben Gesagten als auch ein leichterer oder heftigerer Peitschenhieb war, der den Solisten zwang, die einmal erreichte Spannung aufrechtzuerhalten.

8

Diese Spannung, das sollte Inni noch lernen, war eine negative Kraft. An diesem ersten Abend begriff er das alles noch nicht so recht, aber in diesem ersten Abend lag der Kern für seine Freundschaft mit Arnold Taads. Eine seiner Eigenschaften – und auch das wußte er damals noch nicht, weil er, was er selbst auch darüber denken mochte, einfach noch nicht lange genug gelebt hatte – bestand darin, daß er jemanden, an dem er einmal Interesse gefunden hatte, nicht wieder loslassen konnte. Oft waren das solche, die von der Außenwelt, der Welt aller anderen Menschen zusammengenommen, »seltsame Gestalten« genannt wurden, Menschen, deren Kongruenz mit Innis sarkastischem oder weltzugewandtem Erscheinungsbild man nicht fassen konnte. »Da ist schon wieder einer aus Innis Gully, Irrenhaus, Kollektion, Unterwelt.« – »Mit wem habe ich dich denn gestern schon wieder in Schiphol gesehen?« – »Wie kannst du bloß mit so was einen ganzen Abend verbringen?« – »Triffst du dich noch immer mit dem Mädchen?«

Aber das war alles später.

Jetzt war es Arnold Taads, ein Mann, dessen Beziehungen zur Welt gescheitert waren und der deshalb in hohen, scharfen Tönen die Welt von sich wies, als sei er noch ihr Gebieter. Wäre dieser Verkünder der Verneinung der fünfte Evangelist gewesen, dann hätte er die Möwe als Wahrzeichen geführt, eine einsame graue Gestalt auf einem Felsen, die sich vor dem düsteren Hintergrund eines unheilverkündenden Himmels abzeichnet. Inni hatte sie in naturkundlichen Filmen gesehen, beschlichen und mit Teleobjektiven aus der Nähe aufgenommen. Wie sie plötzlich den Schnabel aufrissen, einen schrillen Schrei der Wut oder Warnung ausstießen und sich mit ein paar kräftigen Flügelschlägen in die Lüfte schwangen, wo sie, noch immer allein, auf einem unsichtbaren, leicht wogenden Luftstrom dahinsegelten. Und dann ab und zu wieder die Schreie, als müsse etwas zerschnitten, zerstört werden.

Das Pendel schlug. Der Mann und der Hund erhoben sich.

»Ich werde dich zum Bus bringen«, sagte Arnold Taads.

Aus einem Ständer im Korridor holte er einen aus Holz gefertigten, mit einer Art glänzendem Pergament bespannten, schirmartigen Gegenstand.

»Das ist ein Parong«, sagte er, und kaum waren sie draußen, da hämmerte der Regen tatsächlich harte, klickende Geräusche auf die gespannte Fläche. Alles war in bester Ordnung. Als sie den Gartenweg hinunter gingen, schaute sich Inni nach dem Haus um. Und mehr noch als vorhin, während seines Aufenthalts in diesem Haus, empfand er die fanatische Einsamkeit, zu der sich dieser Mann verurteilt hatte. Es gibt alle möglichen Formen des Leidens, und obwohl Inni – wie die spätere Rekonstruktion ergibt – beträchtliches Leid hinter sich gebracht haben muß, ist es doch merkwürdig, daß jemandem in seinem Alter der État cru des Leidens so klar wie jetzt offenbart wurde.

Leiden nicht als Ereignis, sondern als selbstgesuchte, unwiderrufliche Strafe. Unwiderruflich, weil keine anderen daran beteiligt waren, weil dieser Mann, der so federnd und sportlich neben ihm dahinschritt, wie ein Athlet, der den Weltrekord in der Tasche trägt, ganz unverkennbar an sich selbst und in sich selbst litt. Ohne es damals genau erklären zu können, wußte Inni bereits, daß er es hier mit dem Gestank des Todes zu tun hatte, einem Gefilde, aus dem man nicht wieder zurückfand, wenn man sich – vielleicht unglücklicherweise oder einfach aus Unachtsamkeit – erst einmal dorthin verirrt hatte.

9

Er war erleichtert, als der Bus pünktlich auf die Minute von der Haltestelle abfuhr.

Arnold Taads war da mit seinem Hund schon in Nacht, Regen und Wald verschwunden. Der Bus, der Zug, der lange Fußmarsch durch die Alleen von Hilversum, wo die Villen wie düstere Grüften in ihren Gärten standen. Schwüler, schwerer Blumenduft nach dem Regen. Doch durch all diese Süßlichkeit hindurch ein seltsamer Geschmack von Abschied. Abschied wovon, das wußte er noch nicht genau, aber daß Abschied genommen werden mußte, das stand fest.

Er träumte in dieser Nacht nicht von Arnold Taads, weil er nicht schlafen konnte. Doch glich die Vision, die er hatte und in der Taads eine Rolle spielte, eher einem Traum als irgend etwas anderem. Sein Gastgeber saß wieder ihm gegenüber, so wie er am Abend zuvor tatsächlich dagesessen hatte. Das war zweifellos der selbe Mann, der ihn vor einigen Stunden zum Bus gebracht hatte, der Mann mit den zwei Häuten und mit dem einen Auge, jemand, der in sein Leben getreten war wie ein Instrument des Schicksals, jemand, der ihm erschienen war. Inni konnte nicht umhin, dem Wort »erscheinen« die spezifische Bedeutung zuzuordnen, die für Katholiken diesem seit Fatima und Lourdes nun einmal eigen ist. Und es war auch nicht zu leugnen: Arnold Taads war eher eine Erscheinung als irgend etwas anderes, und obendrein noch eine sitzende, eine Variante, von der im Fall der jungfräulichen Mutter Maria nicht die Rede war. Die übrigen Paraphen trafen jedoch zu: Der Nachttischlampe entströmte ein unablässiger Nimbus elektrifizierter Heiligkeit, der das leidgeprüfte Antlitz umgab. Das einzige, was eigentlich nicht stimmte, war der Umstand, daß die Heiligkeit sich dem Antlitz selbst nicht mitteilen wollte. Bei so vielen Inkongruenzen stieß es die Serenität eher von sich. Das war ein zweigeteilter Heiliger, dem schon so viel Leid widerfahren war, daß es ihm vergönnt wurde, sich in diesem überirdischen Glanz zu baden, der aber auf seinem Antlitz doch noch so viele Spuren anderer, düstererer Welten zeigte, weshalb es gar nicht ganz feststand, ob man es nicht etwa mit einem Trugbild des Teufels zu tun hatte. Hinzu kam noch, daß eine Geschwulst, eine Beule, eine Warze, er wußte nicht genau was, auf alle Fälle aber eine Erhöhung, eine Unsauberkeit der Haut sichtbar wurde, und das himmlische Lampenlicht furchte auch die beiden ausgeprägten, verächtlichen und gequälten Falten von den Nasenflügeln zum Mund noch viel tiefer. Mehr als an die Augen – denn auch das blinde, richtungslose Auge sah mit und füllte mindestens die Hälfte des geometrischen Raumes mit ungekannten Qualen – erinnerte er sich in seinem Halbschlaf an diese beiden Falten, die wie zwei dünne Marionettendrähte die beiden Mundwinkel bespielten, so daß sie sich unabhängig voneinander heben und senken konnten. Mit der dazugehörigen Geschichte sollte Inni noch bis ins hohe Alter große Erfolge erzielen, nicht ohne dabei den Messerstich der Schuld gegenüber dem

Toten zu fühlen, den er damit verriet und der letztlich an der Ausweglosigkeit dieser Geschichte zugrunde gegangen war.

»In die Rocky Mountains kann ich nicht mehr zurück«, sagte Arnold Taads. »Zu alt. Die wollen mich nicht mehr. Deshalb reise ich jedes Jahr in ein weit abgelegenes Tal der Schweizer Alpen. Du kannst dir darunter wahrscheinlich nichts vorstellen, und ich werde dir auch nicht erzählen, wo das ist. Das werde ich nie. Ich miete mir da ein verlassenes Bauerngehöft, das die Besitzer nur noch zur Sommerzeit bewohnen. Die Menschen, auch diese dort, sind verweichlicht, verwöhnt. Niemand kann mehr allein sein, und niemand will das noch. Sie sind nicht bereit, dem Winter und der Einsamkeit die Stirn zu bieten. Sobald der erste Schnee fällt, ist dieses Tal völlig abgeschnitten. Man kann es nur noch auf Skiern erreichen.«

»Und wie ist das mit dem Essen?« fragte Inni.

»Das hole ich mir alle vierzehn Tage. Ich brauche nicht viel. Man kann von ziemlich wenig leben, aber das weiß keiner mehr. Jedenfalls kann ich nur wenig auf den Rücken nehmen, denn das ist eine sechsstündige Skifahrt.«

Inni nickte. Sechs Stunden! »Was soll ich mir nun darunter vorstellen?« fragte er.

Arnold Taads kniff ein Auge zu, was obszön wirkte und Minuten dauern sollte.

»So«, sagte er. »Stell dich mal neben mich (das sollte Innis berühmte Mimiknummer auf Skiern werden). Wir ziehen los, wir klettern jetzt. Scharfer Ostwind, nicht sehr angenehm. Denk daran, du hast einen Rucksack auf dem Rücken. Der ist schwer. Da steckt das

Essen für vierzehn Tage drin, auch für den Hund. Wir haben noch vier Stunden vor uns. Sieh mich mal an.« Das Auge war noch immer zugekniffen.

»Du hast dein Auge immer noch offen. Ich sehe bloß mit *einem* Auge. Das blinde Auge ist jetzt geschlossen. Mach mal das rechte Auge zu. Dadurch verlagert sich die Perspektive, und gut dreißig Prozent der normalen Sicht gehen verloren, das wirst du schon merken. Das ist gar nicht ungefährlich bei so einer Skifahrt. Versuch's mal.« Ein Stück von der rechten Hälfte des Zimmers war wie weggeschnitten.

»Wenn ich zu schnell fahre, kann da immer irgend etwas sein, ein Stein, ein Zweig, ein Hindernis, das ich nicht sehe.«

»Und was dann?«

Arnold Taads hatte sich wieder gesetzt. Inni fiel es schwer, sich vorzustellen, daß das nun wieder geöffnete, glänzende Auge in Wirklichkeit ein Loch war, das die Welt verstümmelte, weshalb das linke Auge einen doppelten Kampf führen mußte, um seinen Besitzer vor einem lebensgefährlichen Sturz in den Schnee oder auf das Eis zu bewahren.

»Dann kann ich stürzen und mir das Bein brechen. Das ist nur Theorie, aber möglich ist es durchaus.«

Der Ostwind wehte durch das Zimmer. Die Mittagssonne spiegelte das blendende Licht des Gletschers in Taads einem Auge wider. Nirgendwo Häuser, nirgendwo Menschen. Die Welt, wie sie immer gewesen war, ohne Einmischung. Auf der unendlichen weißen Fläche liegt eine kleine Gestalt, die Skier überkreuz ineinandergeschoben wie die ersten Zweige für ein Lagerfeuer. Das überdrehte Bein einer Puppe.

»Und was ist dann zu tun?«
Erfrieren natürlich, dachte er, war aber nicht gefaßt auf
die Antwort, die nun kam.
»Dann gebe ich das Notsignal der Alpinisten.«
Und ohne jegliche Vorwarnung brüllte sein Gastgeber
HILFE!, hob beschwörend die Hand, als müsse in
dem Zimmer die gleiche grausige Stille herrschen wie
dort in dem schicksalhaften Tal, zählte schweigend,
aber mit offenem Mund bis drei und rief abermals:
»HILFE!«, eins, zwei, drei, »HILFE«!« Sein Gesicht
lief dabei rot an, und es schien, als würde das Glasauge
durch die fürchterliche Gewalt des Schreiens leerge-
preßt.
Inni betrachtete die verzerrte, um Hilfe rufende Kar-
nevalsmaske vor sich. Noch nie hatte er ein so schutz-
loses Gesicht gesehen. Er empfand Scham und Mitleid,
eine Scham, die er stets bei Intimitäten anderer empfand, ein Mitleid für jemanden, der nun schon jahrelang mit gebrochenem Bein in einem vereisten, verlassenen Tal lag und niemanden hatte, dem er das mitteil-
len konnte.
»Das mache ich dann immer dreimal und zähle dazwischen bis drei, bis ich keine Kraft mehr habe. Der
Schall wird in den Bergen sehr weit übertragen.«
»Wenn aber keiner da ist, der es hört?«
»Dann gibt es diesen Schall eben nicht. Nur ich höre
ihn. Aber er ist nicht für mich bestimmt. Wenn dieser
Schall nicht bei dem Unbekannten ankommt, für den
er bestimmt ist, gibt es ihn nicht. Und bald darauf gibt
es mich auch nicht mehr. Man erstarrt, die Sinne
verwirren sich, man ruft nicht mehr, man stirbt.«
Selbstverständlich konnte der Hund diese Worte nicht

begreifen, aber der endgültige, von künftigem Verhängnis durchbrodelte Ton verfehlte seine Wirkung nicht. Er erhob sich, winselte leise und schüttelte sich, als wolle er etwas abwerfen.

»Wenn die sich auf die Suche nach mir machen, ist Athos schon tot«, sagte Taads. »Das stört mich noch immer am meisten. Mein eigener Tod ist ein calculated risk, aber es müßte eine Vorkehrung geben, um Athos davor zu bewahren. Doch das geht nicht.«

Es war das erste Mal, daß jemand Inni Wintrop ganz genau alle Einzelheiten seines Todes schilderte, der erst Jahre später eintreten sollte.

10

Opulenz, nicht Reichtum war das richtige Wort, um das Interieur der großen Villa seiner Tante zu beschreiben. Polstermöbel, Chesterfields, Gemälde der holländischen Malerschule, ein wollüstiges Renaissance-Kruzifix aus Elfenbein, ganze Familien Sèvres und Limoges, Perserteppiche, Dienstpersonal. Wie ein wärmendes Tuch wurde das alles um ihn herumgewickelt.

»Wie Menschen zwischen dem Gerümpel vergangener Zeiten leben können, ist mir ein Rätsel«, sagte Taads, als sie einmal kurz allein waren. »Überall klebt was dran, alles haben andere Menschen schon mal schön gefunden. Antike stinkt. Hunderte von Augen, die schon lange verrottet sind, haben das betrachtet. Das läßt sich nur ertragen, wenn man auch von innen her ein Altwarenhändler ist.«

Inni antwortete nichts darauf. Wenn das verachtungswürdig war, mußte auch mit ihm nicht alles stimmen. Er fand es ungemein gemütlich. Zugleich drückte es Macht aus und somit Abgrenzung von der Außenwelt.

»Thérèse, heute Mittag kommt ein Bourgeois zur Welt«, sagte Taads, als die Tante hereinkam, »und du stehst an seiner Wiege. Sieh dir nur mal das überaus zufriedene Gesichtchen deines neuen Neffen an. Er erkennt seine natürliche Umwelt wieder. Sieh nur, mit welch einer selbstverständlichen Grazie er von einer Minute zur anderen zu einem Wintrop wird.«

Der Einzug von Arnold Taads war eindrucksvoll genug gewesen. Selbst wenn Inni es ganz für sich formulierte, fand er, daß es übertrieben klang, doch an diesem Mittag hatte er entdeckt – ohne sich dabei selbst als Beispiel zu nehmen –, daß es zwischen Menschen einen Abstand geben kann, der eine fürchterliche Andersartigkeit ausdrückt und den Betrachter vor Melancholie fast zu Tode brachte. Jeder weiß von diesen Dingen, aber niemand weiß immer alles davon. Aufrechtgehende Wesen der gleichen Art, die sich obendrein noch der gleichen Sprache bedienen, um einander zu erläutern, daß zwischen ihnen eine unüberbrückbare Kluft liege. Ein Idiot, das konnte Inni auch sehen, hatte diesen Kaffeetisch gedeckt. Die drei Tellerchen, von denen gegessen werden sollte – der »Onkel« hatte sich noch nicht gezeigt –, versanken in einem unbeschreiblichen Überfluß an Schüsseln mit Fleischspeisen. Mein Gott, was gibt es doch für mannigfaltige Verfahrensweisen zur Behandlung von Tierleichen! Geräuchert, gekocht, gebraten, geliert, blutrot, schwarzweiß gepökelt, marmoriert, gepreßt, zermahlen und zerschnitten war der Tod auf dem bläulich gemusterten Meißener Porzellan zur Schau gestellt. Nicht einmal ein ganzes Internat hätte das verzehren können. Taads, der sich in diesem Haus viel kleiner ausnahm, stand hinter dem ihm angewiesenen Stuhl und überblickte das Schlachtfeld. Gefiltertes Sonnenlicht beschien die weißen, gelben, harten, weichen und blaugeäderten Käsesorten.

»Das hier ist also ein *Brabanter* Kaffeetisch«, sagte die Tante. Ihr Gesicht war Arnold Taads zugewandt, voller Erwartung. Für ihn hatte sie das alles zur Schau gestellt. Taads schwieg. Das eine Auge schweifte über den Tisch, gnadenlos, unerbittlich. Schließlich erging das Urteil, ein Peitschenhieb.

»Sag mal, Thérèse, hast du keinen Schinken?«

Die Tante wankte unter dem Hieb. Rote Flecken erstürmten ihr Gesicht. Stolpernd verließ sie das Zimmer, aus dem Korridor war ein langer, erstickter Schrei zu hören, der sich polternd nach oben verlagerte, wo er hinter einer zugeschlagenen Tür verschwand.

»Das ist ein *Brabanter* Kaffeetisch«, wiederholte Taads befriedigt und setzte sich. »Üble spätburgundische Angeberei. Die reichen Textilkrämer leben noch immer in der Vorstellung, sie seien die Erben des Burgundischen Hofes. Das hier ist das Bayern der Niederlande, mein Junge. Hier gehört ein Kalvinist nicht her.«

»Ich dachte, Sie sind auch katholisch«, sagte Inni.

»Nördlich der großen Flüsse sind alle Niederländer Kalvinisten. Zu viel, zu lange und zu teuer, das ist nichts für uns. Wenn es nach den Leuten hier geht, sitzen wir bis um drei zu Tisch.«

Es klopfte leise an der Tür. Ein Mädchen kam mit einer Schüssel voller Schinken herein und stellte sie vor Taads auf den Tisch. »Ist's gut so, der Herr?«

Sie war lang und schmal, hatte große Brüste und ein schiefes Komödiantengesicht, in dem die grünen Augen das Lachen nur mit Mühe unterdrückten. Inni war sofort verliebt in sie.

Später (dieses abscheuliche, ungezügelte »später«, das der Gebieter über alle Dinge zu sein scheint und in das alle Erfahrungen wie in eine Gerichtsakte eingeordnet werden) würde er diesen plötzlichen, unsinnigen Verliebtheiten die folgende Begriffsbestimmung geben: »Das Physische hat damit kaum etwas zu tun. Dadurch tritt es höchstens eher zutage. Es ist das instinktive, plötzliche und sichere Wissen, daß jemand in Ordnung ist.«

»In Ordnung?«

»Ja, daß sie mit sich selbst im reinen ist. Ich kann mich nicht zu einer hingezogen fühlen, die mit sich selbst nicht im reinen ist. Und dann gibt es da noch einen zweiten Grundpfeiler, denn es geht ja letztlich doch um eine Konstruktion: Man muß wissen, daß sie für einen etwas übrig hat.«

»Für einen etwas übrig hat?«

»Ja. Wenn Zeit und Ort stimmen, muß in der Begegnung auch noch Logik stecken.«

Logik. Bei diesem Wort würde jeder Verliebte das Weite suchen. Aber gerade darum ging es ja jetzt. Es mußte völlig logisch sein, daß man mit so einer ins Bett ging. Man wußte, daß es geschah, weil es geschehen mußte. Nur mußte das dem anderen noch klargemacht werden. Das war die Verführung. Die Gewißheit des Vorgangs war dabei eine große Stütze. Das und der merkwürdige Widerspruch, daß es nun gerade nicht ums Bett ging, eine Sache, die klarer wird, wenn man selbst einmal der andere ist. Es ging darum, daß jeder mit sich selbst im reinen war. Doch das Verlangen, das Erzittern, dieses seltsame, verzweifelte Gefühl, das immer wieder das gleiche war, das er hier an diesem Tisch empfand, als sie so hoch aufgerichtet dahinschritt, als sie diesen einen Satz in ihrem entzückend weichen Dialekt sagte, als sie mit ihren lachenden grünen Spötteraugen zu ihm herübersah, belustigt über

»diesen alten Geck mit seinem Glasauge und diesen mageren Jungen mit seinem seltsamen Blick, als könnte er sich nicht satt sehen an einem Weibsbild« – das alles mußte erst einmal da sein. Dann kam die »Kontrolle«, eine Handlung voller Verehrung und Frauendienst. Seine Freunde würden ihn für verrückt erklären, wenn er wieder einmal in einer solchen Mission ans andere Ende der Welt flog, nur um eine Linie, einen Gedanken zu verfolgen, den ihm einmal jemand hinterlassen hatte und der jetzt, koste es, was es wolle, verifiziert werden mußte. War es so oder nicht? Hatte er dort, bei dieser einen, die Möglichkeit, ein Leben nach einer solchen Fasson zu führen, ein Leben, das – wenn er sich dafür entscheiden würde – Wirklichkeit werden könnte? Darum ging es. Dies herauszufinden, das war das Werk der Liebe, aber er konnte es niemandem erklären.

»Wenn man aber nicht mit sich selbst im reinen ist?« Nein, soviel war sicher, davon begriff niemand etwas, ausgenommen die Frauen selbst. Und dann war man mit sich selbst im reinen.

11

Die Tante erschien nicht mehr, und die gnadenlose Uhr des Arnold Taads schlug auch hier zu. Zwischen drei und vier machte er sein Nickerchen, – und wäre es auf Nowaja Semlja gewesen. Inni schlenderte ziellos durch das Haus, und nach langem Zögern öffnete er die Küchentür. Das Mädchen saß an einem großen Tisch und putzte Silberbestecke.

»Hallo«, sagte Inni.

Sie sagte nichts, sondern lachte nur auf – wenn es nicht sogar Spott war.

»Wie heißt'n?« fragte sie.

»Inni.«

Sie schüttelte sich vor Lachen. Ihre Brüste bebten, und Begierde ergriff ihn. Er stellte sich neben sie und legte ihr die Hand auf den Kopf.

»Oho«, sagte sie, blieb aber ganz still sitzen, bis sie plötzlich nach einer großen, eben erst geputzten Schöpfkelle griff und sie ihm mit der gewölbten Seite vors Gesicht hielt. Alles, was er an seinem Gesicht haßte, wurde verdoppelt, auseinandergezogen und hervorgehoben.

»Ich heiß Petra«, sagte sie. Auf diesen Felsen, diesen sanften, gewölbten Felsen, so dachte er später, hatte er seine Kirche gebaut. Denn daran bestand kein Zweifel: An jenem Tage waren die Frauen zu seiner Religion geworden, zum Zentrum, zum Wesen aller Din-

ge, zu dem großen Wagenrad, auf dem die Welt sich
drehte.

»Was für'n Sternzeichen hast du?«

»Löwe«, und ehe sie etwas sagen konnte, fügte er rasch
hinzu: »Meine Zahl ist eins, mein Metall Gold, mein
Stern die Sonne. Und von Beruf bin ich König oder
Bankier.«

»O je, o je«, sagte sie, nahm seine Hand und legte sie
auf den Tisch zwischen die Silberbestecke. »Soll ich dir
's Wäldchen zeigen?«

Sie bewegten sich durch das geschäftige Treiben des
dörflichen Sonnabendnachmittags. Sie wurde oft
gegrüßt, und neugierige Blicke richteten sich auf ihn.

»Wo gehen wir hin?«

»Zum Wäldchen. Aber deiner Tante darfst du's nicht
erzählen.«

Im Wald war es still und kühl. Beide streckten zum
gleichen Zeitpunkt die Hand aus und gingen dann
unter den hohen Bäumen Hand in Hand weiter. So
einfach würde es nie wieder sein. Die Blätter, die
Bäume, die erhabenen Streifen geheimnisvollen Lichts
im Halbdunkel, alles spielte mit. Sie legten sich nieder.
Er küßte ihr die Brüste und das Haar. Sie zog ihn an
sich und streichelte ihm den Nacken. Den Mund dicht
an seinem Ohr erzählte sie ihm ihre Lebensgeschichte.
Ihre Eltern lebten noch, und sie hatte die Haushalts-
schule besucht. Sie hatte acht Geschwister und arbeitete lieber bei seiner Tante als in der Fabrik. Ihr
Verlobter war als Freiwilliger in Korea, und wenn er in
vierzehn Tagen zurückkam, würden sie heiraten. Dann
wandte sie sich ihm zu wie ein Mädchen, das zu einer
Wolke aus unendlicher Zärtlichkeit geworden war. Er

konnte nicht mehr sehen, was sie tat, fühlte aber, daß sie mit kühler Hand über seinen Bauch strich, und dieser Spur folgten auch ihre ebenso kühlen Lippen, immer wieder unterbrochen durch das warme Lecken ihrer Zunge. Er hob den Kopf, um nach ihr zu schauen. Sie lag halb über ihm. Von ihrem Kopf sah er nur das üppige, dunkle Haar. Ihre rechte Hand, eben jene, die eine Stunde zuvor eine Schüssel voller Schinken vor Arnold Taads niedergesetzt hatte, stemmte sich auf das Moos und auf das leise raschelnde, verdorrte Buchenlaub. Zum erstenmal empfand er dieses Gemisch aus Liebe, Verlangen und Erregung, wonach er von nun an immer wieder würde suchen müssen. Ihr Kopf bewegte sich langsam. Er hatte das Gefühl, es würde aus ihm getrunken, und dann hatte er kein einziges Gefühl mehr, keinen Gedanken. Er sah nur noch das schwarze Haar und die kräftige, von allem losgelöste Hand im Moos – da strömte er aus in ihren Mund. Dabei packte er sie mit festem Griff, und dabei – so sagte sie später – hatte er ihr weh getan.

Ein Weilchen blieben sie so liegen. Dann hob sie den Kopf und drehte sich – noch immer mit dieser Hand als Achse und Angelpunkt – zu ihm um. In ihren Augen geisterte noch immer so etwas wie Spott, nun aber gemischt mit Triumph und Zärtlichkeit. Sie lächelte, machte den Mund ein wenig auf, so daß er seinen weißen Samen auf ihrer rosigen Zunge sah, richtete den Blick in die Höhe, wie ein Mädchen, das einen Filmstar nachahmt, und schluckte. Dann drehte sie sich ganz um, legte sich der Länge nach auf ihn, küßte ihn voll auf den Mund und sagte: »Nun, dann gehn wir mal wieder.«

Den Rückweg gingen sie schweigend. Als die ersten Häuser des Dorfes zu sehen waren, bat sie ihn, er solle ein wenig zurückbleiben und etwas später nach Hause kommen als sie. An eine Mauer gelehnt, schaute er der Gestalt nach, die sich langsam und wiegend von ihm entfernte und sich nicht ein einziges Mal nach ihm umwandte. Als er nach Hause kam, war sie nirgendwo zu sehen.

12

Das Abendessen war eine noch größere Katastrophe
als die mittägliche Kaffeetafel. Der Onkel, der bis jetzt
nur als Name ein Dasein geführt hatte, war nun auch
Fleisch geworden und saß an der Stirnseite des Tisches,
umnebelt von massiver Trunkenheit. Taads schaute
mißbilligend auf die vielen kristallenen Weingläser
neben seinem Teller, und die Tante war so außer sich,
daß Inni glaubte, sie würde den Abend nicht überste-
hen. Der vierte Mann am Tisch wurde vom Onkel mit
»Herr Vetter« angeredet. Er hatte eine violette Schärpe
umgeschlagen, seine Soutane war mit violetten Knöp-
fen besetzt, und auf dem Kopf trug er eine violette
Kappe. »Monseigneur Teruwe ist Geheimer Kammerherr des Papstes«, hatte die Tante gesagt, doch Inni
wußte nicht, was er sich darunter vorstellen sollte. Der
Mann hatte ein langes, überaus weißes Gesicht mit
schlammfarbenen Augen. Er war Professor an der
Theologischen Akademie in Rom. Während des
Gebets vor dem Essen, das er langsam und holpernd
sprach, bemerkte Inni, daß er zu Taads, der sich nicht
bekreuzigt hatte, mit einem Blick hinüberschaute, als
sehe er zum erstenmal ein seltenes Reptil.
Die Vorspeise bestand aus kalter Kalbszunge mit grüner Soße. Die Tante betätigte ein Glöckchen. Innis
Herz klopfte. Das Mädchen kam herein. Ihr Gang
mutete an wie Tanz, und er sah, daß der Priester sie

mit seinem Blick durch das ganze Zimmer verfolgte. Als sie sich vorbeugte, um den Wein einzuschenken, sahen sie beide den hohen Ansatz der Brüste. Ihre Blicke kreuzten sich, und der Priester schlug die Augen nieder. Inni hoffte, sie würde zu ihm herüber-schauen, der Spott dieser grünen Augen würde über ihn dahinflattern, als Bestätigung dessen, was sich am Nachmittag zugetragen hatte, und der Tatsache, daß er und niemand anderer die jetzt verhüllten Brüste gestreichelt hatte, nach denen die schlammfarbenen Augen mit solcher Begierde geschaut hatten. Aber nichts dergleichen geschah. Sie schenkte ihm als letz-tem ein, und es war die selbe kleine kräftige Hand, die die Flasche Meursault umspannt hielt. Der Wein strömte goldgelb ins Glas.

»Auf unseren wiederentdeckten kleinen Neffen«, sagte der Onkel.

Sie erhoben die Gläser und tranken ihm zu, eine seltsame Gruppe greifbarer Schatten, die nun plötzlich mit ihm etwas zu tun hatten.

»Sie haben die Mutter Kirche verlassen, Herr Taads?« fragte der Kammerherr.

Arnold Taads starrte ihn an und entgegnete schließlich:
»Eine Diskussion darüber sollten wir lieber vermeiden. Was ich dazu zu sagen habe, würde ihnen überaus unhöflich im Ohr klingen.«

»Ich habe auch nur Menschenohren. Gottes Ohren sind es, die Sie beleidigen könnten.«

Taads sagte nichts. Inni versuchte, sich das vorzustel-len: Gottes Ohren. Wer weiß, vielleicht war Gott ganz Ohr, ein Riesenohr aus Marmor, das durch den Welt-raum schwebt. Aber Gott gab es nicht. Den Papst allerdings, das stand fest, und von dem war dieser seltene Vogel hier der Kammerherr, der Geheime Kammerherr. Aber was war das eigentlich? Wenn er selbst geheim wäre, würde das ja niemand wissen. Dann war er vielleicht Herr der geheimen Kammer. Der geheimen Kammer im Vatikan, wo sich die weiße, ebenso vogelartige Gestalt Pius XII. aufhielt und zu der dieser Mann hier Zutritt hatte: weißer Reiher und bunte Krähe. Was würden sie da beraten? Geheimnisvolles Flüstern auf Italienisch, aber worüber? Vielleicht war er der Beichtvater des Papstes. Konnte ein Papst eigentlich noch sündigen? Er erinnerte sich seiner eigenen Beichtsitzungen in zahllosen säuerlich riechenden Beichtstühlen, des geflüsterten Wortwechsels, des gräßlichen Männergeruchs, in dem Wörter wie Unkeuschheit, Reue und Vergebung dahinschwebten, seiner eigenen Stimme in der ekelerregenden Intimität der hölzernen Sitzfläche. »Allein oder mit anderen.« – »Sechstes Gebot.« – »Buße.«

»Verzeihen Sie mir meine Neugier, Herr Taads.«

Inni sah, daß sich das eine Auge des Skimeisters verengte.

»Ich verzeihe Ihnen alles«, sagte er, »doch selbst wenn ich an Gott glaubte, hätte ich trotzdem Ihre Kirche verlassen. Was auf Leiden und Tod gegründet ist, kann nie etwas Gutes bedeuten.«

»Sie meinen das Sühneopfer von Gottes Sohn?«

»Die Kommunisten sind dabei, uns einzukesseln«, sagte der Onkel, »und wenn die kommen, müssen wir als erste dran glauben.«

Arnold Taads dachte nach.

»Monseigneur«, sagte er dann, wobei er nach »Mon«

eine Pause machte, so daß die volle Kraft des Titels wie ein Heiligenschein an der Gestalt des Priesters haftenblieb, »Gott gibt es nicht, und somit hat er auch keinen Sohn. Alle Religionen sind die falsche Antwort auf die gleiche Frage, die immer die erste ist: Wozu sind wir auf Erden?«

»Wir sind auf Erden, um Gott zu dienen und dadurch in den Himmel zu kommen«, sagte der Onkel, als hätte jemand auf einen Knopf gedrückt. Die großen Brüste erschienen wieder im Zimmer und schenkten zur Bouillon eine Probe Sercial in die kleinen Gläser.

»Sie sind, wenn ich recht verstanden habe, Professor der Theologie«, fuhr Taads fort, »und daher ist das hier ein völlig kindisches Gespräch. Sie sind bis zum Kragen mit Dogmatik und Scholastik vollgestopft. Sie kennen die Beweise für die Existenz Gottes und alles, was dagegen ins Feld geführt wurde. Sie haben ein ganzes System aufgebaut auf diesem greulichen Symbol des Kreuzes. Ihre Religion zehrt noch immer von dieser einzigen sadomasochistischen Séance, die wahrscheinlich einmal wirklich stattgefunden hat. Durch die militaristische Organisation des Römischen Reiches hat diese merkwürdige Schwärmerei mit dem eigenartigen Gemisch aus heidnischem Götzendienst und guten Absichten eine Chance bekommen. Abendländischer Expansionsdrang und Kolonialismus haben für die Weiterverbreitung gesorgt, und die Kirche, die Sie Mutter nennen, ist oftmals ein Mörder gewesen, meistens ein Henker, und immer ein Tyrann.«

»Und Sie haben eine bessere Antwort?«

»Ich habe keine Antwort.«

»Und was halten Sie von den Mystikern?«

»Mystik hat nichts mit dieser oder mit jener Religion zu tun. Mystiker stoßen so gut wie immer auf das Mißtrauen der offiziellen Kirchen. Es ist für den Menschen eine seltene Gelegenheit, sich zu verlieren. Wenn es schon längst keine Religion mehr geben wird, wird es immer noch Mystiker geben. Die Mystik ist eine Fakultät der Seele, nicht die eines Systems. Oder dachten Sie etwa, das Nichts sei kein mystischer Begriff?«

»Sie glauben also an das Nichts?«

Taads stöhnte.

»Man kann nicht an das Nichts glauben. Am Nichtvorhandensein aller Dinge kann man kein System aufhängen.«

»Das Nichtvorhandensein aller Dinge.«

Der Kammerherr kostete diese kurze Wortfügung auf der Zunge. Plötzlich hob er die Hand.

»Das hier ist Wirklichkeit, meinen Sie nicht auch?«

»Wenn man's so sieht, ja.«

»Das unterliegt also nicht dem Nichtvorhandensein. Und wenn dieses Brett die Welt ist – wir wollen das einmal annehmen –, unterliegt das also auch nicht dem Nichtvorhandensein.«

»Eines Tages«, sagte Taads, »werden Sie und ich, Ihre Hand und das Brett da, diese Flasche Haut Brion und all die übrige Welt dem Nichtvorhandensein unterliegen. Dann wird sogar unser Tod dem Nichtvorhandensein unterliegen, der Tod eines jeden, und damit auch jede Erinnerung. Dann sind wir nie dagewesen. So meine ich das.«

»Und damit können Sie leben?«

»Darum ging es nicht.«

Zum erstenmal an diesem Tage sah Inni, daß Taads

lachte. Der Grauton verschwand ein wenig von seinem Gesicht.

»Damit kann ich ausgezeichnet leben. Nicht immer, aber meistens. Steine, Pflanzen, Sterne, alles lebt damit. Ich bin ... hm ... ein Kollege alles Bestehenden, sie sind's ja immerhin auch.«

»Wie bitte?«

»Ich bin – und wir sind's alle – ein Kollege des Weltalls. Wenn Sie davon ausgehen, daß das menschliche Maß nichts bedeutet und daß in Wirklichkeit nichts kleiner und nichts größer ist, so haben wir alle, Menschen und Dinge, das gleiche Geschick. Wir haben einen Anfang genommen, und wir werden ein Ende nehmen, und dazwischen haben wir existiert, das Weltall ebensogut wie die Geranie. Das Weltall wird ein bißchen länger bestehen als Sie, aber dieser geringe Unterschied bewirkt nicht, daß Sie sich tatsächlich voneinander unterscheiden.«

»Und der Tod?«

»Ich habe nicht die geringste Vorstellung, was das sein soll! Sie vielleicht?«

In diesem Augenblick nahm das abendliche Festmahl eine merkwürdige Wendung. Die Tante brach in Tränen aus. Ob das eine Folge dessen war, was Taads soeben gesagt hatte, war unklar, doch blieb die Wirkung nicht aus. In der von heftigem Schluchzen durchsetzten Stille ertönte plötzlich Arnold Taads' Kommandostimme.

»Thérèse, Schluß jetzt mit der Anstellerei!«

Nunmehr ging das Schluchzen in eine Art Gejammer über, in dem mit einiger Mühe die Worte »hast mich nie geliebt« zu erkennen waren. Als sei er selbst gar nicht mit dabei, als hänge er unendlich weit hoch droben an der Zimmerdecke, so nahm Inni wahr, daß Petra hereinkam, die Tante in die Arme nahm und wie ein schwachsinniges Kind hinausgeleitete. Gleichzeitig hatte sich auch der Onkel erhoben. Seine riesige Gestalt wankte auf Taads zu. Das Blut färbte den Patriziernacken unter dem weißen Haar ziegelrot. Auch Monseigneur Teruwe hatte seinen Sitz verlassen und bewegte sich auf einer Bahn, die zwischen dem Onkel und Taads lag. Der Faustschlag, der Taads zugedacht war, landete als Volltreffer in dem weißen Klerikergesicht. Da aber der Schlag zu früh gelandet war, verlor der Onkel das Gleichgewicht. Einen Augenblick lang torkelte er in einer unsinnigen Zickzackbewegung vorwärts, stieß an den Schrank voller »famille rose« und sank – während Glasscherben und Porzellan in der Luft umherschwirrten – gemächlich zu Boden.

»Bien fait«, sagte Taads. Zusammen mit Teruwe, der den familiären Kinnhaken wunderbar überstanden hatte, wuchtete er den Onkel vom Teppich auf und setzte ihn in einen Sessel.

Die Tafelrunde hatte sich gelichtet. Sie saßen nur noch zu dritt am Tisch. Schweigend, das Clownsgesicht jedoch erfüllt von kaum bezwungener Heiterkeit, räumte Petra ab und kam kurz darauf mit einer riesigen Käseplatte und einer dunkel glitzernden Karaffe zurück.

»Herr Taads«, sagte der Priester, »nur über weniges auf dieser vergänglichen Erde werden wir Einigkeit erzielen. Doch darüber sind wir uns einig: Mein Vetter wartet mit beispielhaftem Portwein auf.«

Sie hoben die Gläser und tranken einander zu. Inni fühlte, wie der tiefe, dunkle Geschmack in seinen Mund eindrang, verführerisch und geheimnisumwittert.

»Und wenn man dazu noch bedenkt«, sagte Teruwe wieder, »daß Chamberlain noch nicht in München gewesen war, als die Trauben dieses Weins noch am Rebstock in der prallen Sonne hingen.«

Keiner sagte etwas. Der Priester hatte die Augen geschlossen und lauschte unhörbaren Stimmen. Als er wieder sprach, hatte er eine andere Stimme, als redete er nicht zu Taads und ihm, Inni, sondern zu einer Menge, die irgendwo hinter der grasfarbenen Seidentapete verborgen sein mußte.

»Mich, nicht euch, lehrt der Heilige Cyprianus – das war schon im zweiten Jahrhundert, – daß es außerhalb der Kirche kein Heil gibt. So wie es in den Tagen der Sintflut nur *eine* Arche gab, auf der man sich vor dem Tod des Leibes retten konnte, ebenso gibt es im Neuen Bund nur *eine* Arche, und das ist die katholische Kirche. Unser Herr hat es selbst gesagt: Wenn jemand nicht auf die Kirche hören will, so betrachte ihn als Heiden oder Zöllner. Unsere Kirche ist heilig, denn sie hat einen heiligen Begründer, eine heilige Lehre, heilige Sakramente und zu allen Zeiten heilige Glieder.«

Er schnitt sich ein Stück Brie von der Käseplatte und führte es mit dem Messer zum Mund. Einen Augenblick lang sah Inni die rahmartige, weißlich-gelbe Masse sich auf der redegewandten Zunge hin und her bewegen. Taads, der sich noch einmal Wein eingeschenkt hatte, hob mit sichtlichem Behagen sein Glas zum Lampenlicht und sagte in einem Ton, der milder war, als Inni das je von ihm erwartet hätte: »Monseigneur, zuallererst bin ich Ihnen Dank schuldig, weil Sie den Faustschlag, der für mich bestimmt war, abgefangen haben. Sie waren meine eine Wange, bevor ich die andere hin halten konnte. Sie haben einen kräftigen Schädel, und Ihr Denkvermögen hat keinen Schaden genommen, denn es läuft offensichtlich immer noch auf den gleichen doktrinären Gleisen, auf denen es von jeher gelaufen ist. Was Sie aber nicht begreifen, ist der Umstand, daß ich abseits der Gleise stehe. Ich habe Ihren Zug schon tausendmal vorbeifahren sehen. In Ihrer Optik, die mir eher wie der graue Star vorkommt, bin ich der berühmte schuldlos Verirrte.«

»Nicht schuldlos«, sagte der Kammerherr, »nicht schuldlos. Schuldlos sind nur diejenigen, die die Wahrheit nicht kennen können.«

»Wenn ich mich verirre, verirre ich mich eben in gutem Glauben«, sagte Taads erheitert. »Wenn der Glaube eine Gnade ist, bin ich ihrer eben nicht teilhaftig geworden.«

»Gott läßt die Sünde des Unglaubens zu, weil er will, daß wir uns frei für ihn entscheiden. Durch die sichtbare Welt, durch die Stimme Ihres Gewissens und durch die göttliche Offenbarung können Sie wissen, daß es einen Gott gibt, und dann dürfen Sie noch ohne weiteres ein Kollege des Bestehenden bleiben – hihihi–, doch was Gott offenbart hat, das lehrt Sie die Kirche, denn der gehören Sie an.«

»Gehörte.«

Der Priester lachte, doch weil er im selben Augenblick einen Schluck Portwein zu sich genommen hatte, ging die Sache schief. Er verschluckte sich, der Portwein kam wieder herausgespritzt und ließ sich im Damast nieder. Er hustete seine Worte heraus.

»Gehörte! Gehörte! Aber wir lassen Sie niemals gehen! Sie sind getauft, Sie sind gezählt, Sie gehören dazu. Wenn wir sagen, daß es soundsoviel Millionen oder Milliarden Katholiken auf der Welt gibt, dann gehören auch Sie dazu. Die Taufe ist ein ewig währendes Merkmal! Sie sind ein Glied des Leibes Christi. Wenn wir schon mal über Kollegialität sprechen: Das machen Sie nie wieder rückgängig, da können Sie reden, was Sie wollen!«

»Worüber ich mich wundere«, sagte Taads, »ist folgendes: Wenn sich jemand die Mühe machen wollte, uns auseinanderzuspalten, – ich meine damit, uns der Länge nach durchzuschneiden – und unsere Hälften jeweils mit der des anderen zusammenzusetzen, da wäre wohl nur wenig Unterschied zu bemerken«.

»Als Beweisführung vielleicht ein bißchen schmerzhaft.«

»Ich sagte, Sie sollten es sich mal vorstellen. Sie haben sich ja in Ihrem Leben schon alles Mögliche und Unmögliche vorgestellt, und in der Kasuistik werden immerhin die seltsamsten Spielchen durchgespielt. Stellen Sie sich also vor, daß man unsere zerspaltenen Schädeldecken auf ein Tablett legt – auf ein so herrliches wie dieses hier, aus Silber, achtzehntes Jahrhundert, vielleicht etwas zu gut für uns –, halten Sie es dann nicht für eine eigenartige Vorstellung, daß Ihre graue Masse davon überzeugt ist, eine der drei Personen, die Ihr Kollektivgott in sich birgt, sei dessen Sohn, geboren durch eine Frau, die immer Jungfrau blieb, aber dennoch befruchtet wurde von einer der beiden anderen Personen, die – wie es die Kirche auszudrücken beliebt – »über sie kam«, was wiederum zur Folge hatte, daß Sie zweitausend Jahre später in einer eigenartigen Kleidertracht herumlaufen, die zwar nicht unelegant ist, aber doch mit so einem spaßigen violetten Lätzchen versehen ist. Wäre es dann nicht auch eine eigenartige Vorstellung, daß Ihre graue Masse Botschaften an meine graue Masse ausstrahlt, die da so prächtig neben der Ihrigen auf dem kunstge- schmiedeten Silbertablett liegt? Stellen Sie sich das einmal vor, denn daraus sollte sich ergeben, daß ich nicht denken darf, was ich denke, weil mir irgendwann einmal – ohne meine Zustimmung, das wollen wir festhalten! – ein Kollege von Ihnen ein bißchen Wasser über die Fontanelle geschüttet und dabei einige Beschwörungsformeln hergesagt hat, – wie beim ersten besten Menschenfresserklub im Urwald.«

»Mysterium fidei«, sagte Monseigneur Teruwe.

»Mysterium meines Hutes«, sagte Taads und erhob sich vom Tisch. »Ich werde jetzt meinen ungetauften Hund ausführen.«

13

Der Onkel schnarchte. Inni merkte, daß er allmählich betrunken wurde. Der Priester drehte das geschliffene Portweinglas zwischen seinen langen weißen Fingern und seufzte. »Die arme Seele«, sagte er. Ein trübseliger Zug hatte sich ihm aufs Gesicht gelegt. Er richtete den Blick auf Inni. Der Schlamm hatte sich unwiderruflich getrübt, verdüstert durch einen schleierartigen Altmännerkummer.

»Arme Seele. Das darf man nicht so auffassen, wie es die Menschen gebrauchen. Wir«, und er deutete um sich, als sei die gesamte katholische Kirche um ihn versammelt, »wir nennen die Seelen im Fegefeuer ›arme‹ Seelen, weil sie viel leiden müssen, von Gott getrennt leben müssen und nichts dazu tun können, ihr Leiden zu verkürzen. Na ja, Fegefeuer ... Fegefeuer, ob er das schafft? Kein Mensch, der Glied der Kirche ist – und das sind wir doch alle, die wir hier sitzen«, er deutete auf die leeren Stühle, »wird gerettet, wenn er nicht in Liebe ausharrt, und das gilt also auch für Herrn Taads. Der Bruch mit Gott ist eine Todsünde. Und die Strafe für die Todsünde ist die Hölle.«

Er schloß die Augen. Was er hinter den dünnen, zugezogenen Vorhängen sah, mußte fürchterlich sein, denn als er die Augen wieder öffnete, schien es, als hätte sich die Farbe seiner Augen abermals um einen Grad getrübt.

»Glaubst du an die Hölle?«

»Nein«, antwortete Inni.

»Die Hölle«, sagte Monseigneur Teruwe, »ist ein Mysterium. Und ich gehe jetzt schlafen.«

Jetzt sind wir noch zwei, dachte Inni, als die schwarzviolette Gestalt wie auf einem unsichtbaren Schienchen Kurs auf die Zimmertür nahm. Der Onkel schnarchte, doch in sein Gesicht war nun ein Zug des Unwillens getreten. Jemand anders, der auch in diesem Stuhl saß, weigerte sich zu schlafen, und doch war es unumgänglich.

Inni hatte Petra nicht hereinkommen hören und fuhr zusammen, als sie ihm übers Haar strich.

»Ach, wie blaß du wieder aussiehst, Kerlchen«, sagte sie, und irgend etwas an der Art und Weise, wie sie diese Worte aussprach, trieb ihm die Tränen in die Augen. Er war es nicht gewohnt, daß Menschen freundlich zu ihm waren.

»Oh, oh«, sagte sie, »oh, oh. Komm nur, jetzt werden wir den da in sein Zimmer tragen.«

Sie drückte ihn kurz an sich. Er fühlte ihre Brüste an seiner Brust, und er klammerte sich an sie, wie einer, der ertrinkt.

»Was bist du nur für ein mageres Kerlchen«, sagte sie, »und die Tränen mußt dir abtrocknen.«

Der Onkel wollte aus seinem Stumpfsinn nicht erwachen. Doch der andere, der unwillige Schläfer in ihm, erhob sich und ließ sich aus dem Zimmer schleifen, die Treppe hinauf, in ein Schlafzimmer, wo die Tante lag wie eine aufgebahrte Tote, bei der sich niemand der Mühe unterzogen hatte, ihr die Augen zuzudrücken.

»Die Schlaftabletten«, sagte Petra leise.

Sie zogen den Onkel aus und ließen ihn neben der anderen Leiche in das rosarote Pfahlgrab sinken.

»Ich bin krank«, sagte Inni.

Sie nahm ihn bei der Hand, führte ihn in ihr Zimmer, machte die Fenster weit auf, legte ihn aufs Bett und ging weg. Unten hörte er eine Glocke schlagen, ein eigenartig hoher Ton, der eine unerklärliche Stunde anzeigte. Am nächsten Tag würde Taads ihm erklären, es handele sich um eine Schiffsglocke, die soundsoviel Glasen anzeigte. Jetzt aber kam es ihm vor, als sei überall der Wurm drin, denn zu dieser unerklärlichen, aber deutlich angezeigten Stunde schaukelte das Zimmer hin und her wie ein Schiff. Er selbst stand im Mittelpunkt dieser Bewegung, ein stiller Gegenstand, bis der große Drehkolk auch ihn hochriß und wie mit einem Peitschenhieb zum Fenster trieb. Ihm war, als kotze er seinen ganzen Körper aus, doch als reiche auch das noch nicht, denn das Gefühl der Leere, das zurückblieb, wollte auch heraus. Krampfhaft und besessen kroch es immer wieder nach oben und zerrte an seiner Kehle. Tränen strömten ihm aus den Augen. Unter sich sah er das dunkle Loch des Gartens, und obwohl die Drehbewegung nun nachließ, hielt er sich mit verzweifeltem Griff an der Fensterbank fest. Sein ganzes Leben mußte heraus, geheimnisvolle Substanzen, die jahrelang hinterhältig in seinen Beinen, in seinem Gehirn gehaust hatten, brüllten los und wollten befreit werden. Der ganze große Kramladen voller Erinnerungen und Demütigungen, seine schwachsinnige Einsamkeit, alles mußte hinein in die dunkle Höhle des Gartens, alles mußte verschwinden, unsichtbar werden, alles mußte wie eine saure, bösartige Masse nach draußen geschleudert werden, wo es sich ein für allemal auflösen würde, – zusammen mit ihm. Er wollte nicht mehr existieren. Zum erstenmal in seinem Leben wurde dieser Gedanke zur Möglichkeit, allein dadurch, daß er ihn dachte.

Er hörte, daß sich hinter ihm die Tür öffnete, und wußte, daß sie es war. Bloße Füße, dachte er, sie kommt auf bloßen Füßen. Die Füße, diese Heilsboten, führten sie bis dicht hinter ihn. Was sie anhatte, mußte etwas sehr Dünnes sein. Sie legte ihm die Arme über Kreuz um die Brust und wiegte ihn sacht hin und her, als wisse sie, was er eben noch gedacht hatte. So ohne Schuhe war sie nur ein ganz klein bißchen größer als er. Ab und zu ruckte es noch in seinem Körper. »Scht, scht«, machte sie dann ganz sanft.

Erst ein Weilchen später führte sie ihn zum Wasch-tisch, wo er sich auf ihr Geheiß die Tränen trocknete, die Nase putzte, den Mund spülte und etwas trank. Danach zog sie ihn aus, legte ihn ins Bett, löschte das Licht und ließ sich neben ihm nieder.

Die Nacht, die so dunkel anmutete, als das Licht noch brannte, wurde immer heller und fing an, die Dunkel-heit des Zimmers zu vertreiben. Licht oder Dunkel-heit, keines von beiden trug den Sieg davon, und schließlich entstand ein stilles graues Zwielicht, aus dem sie, Seite an Seite liegend, voreinander auftauch-ten. Sie streichelten und küßten sich, und allmählich sah er, daß auch sie sich wandelte. Es war, als ver-schwinde ihr Gesicht und ein anderes trete an dessen Stelle, ein ungestümeres und weiter entferntes. Die ihn festhielt und die er festhielt war ganz nahe bei ihm und zugleich woanders. Zum erstenmal erlebte er, daß er so etwas zustande brachte, er fand sie mit der Hand. Plötzlich hockte sie da, auf Hände und Knie gestützt, stöhnte und seufzte. Entfesselt war sie, weit weg. Es war unheimlich, in ihr entfesselte sich eine Kraft, durch die sie alles vermochte, was er nie vermocht hätte. Sie hatte ihren eigenen Namen vergessen, dieses Haus, dieses Zimmer und auch ihn, und doch war er es, den sie an den Hüften packte, über sich hinweg wälzte und in sich hineinzog. Wehmut, Verlassenheit und Lust: Schwitzend und wimmernd wälzten sie sich auf dem großen Bett, als seien sie in einen Zweikampf verwickelt. Und stets hatte es den Anschein, als leide sie fürchterliche Schmerzen, als wolle sie von ihrem Körper erlöst werden, auch sie, als wolle sie ihn, den sie an sich fesselte, zugleich von sich stoßen.

Als es vorbei war, lag sie ganz still da und starrte mit weit geöffneten Augen zur Zimmerdecke. Er schaute unablässig zu ihr hinüber und sah die Züge und Schatten ihres alltäglichen Gesichts allmählich wieder ihre Plätze einnehmen und das andere, das geheimnisvollere Gesicht vertreiben, das verblich, nach draußen entfloh, hinein in die schwindende Nacht, in das erste Vogelgezwitscher, dorthin, wo es hingehörte.

»Oh, du«, sagte sie und richtete sich langsam auf, und plötzlich vollzogen sich auch dort drinnen Wandlungen, Türen wurden zugeschlagen, Namen wurden zurückerstattet, der Spott strömte wieder aus ihren Augen. Sie lachte auf und sagte: »So, das waren dann zwei Todsünden an einem Tag.«

Und später, als sie beide an die Wand gelehnt dasaßen und jeder eine Zigarette rauchte (Golden Fiction, ihre Marke), legte sie ihm die Hand zwischen die Beine und sagte lachend: »Das große Männchen ist wieder ganz klein geworden.« Und mit einigem Erstaunen: »Aber du hast kein Hütchen. Wie kommt das?«

»Ich bin beschnitten«, sagte er.

»Gerad wie unser lieber Herr?«

»Ja.«

Sie mußte laut loslachen.

»Warst damals noch klein?«

»Nein. Voriges Jahr.«

Ein Zeitraum voll unendlicher Stille.

»Warum denn?«

»Weil es immer so weh tat, wenn ich mit einer ins Bett ging. Da war es immer zu eng.«

»Oho.«

Sie beugte sich vor und schaute hin. Er strich ihr übers Haar.

»Aber du bist doch kein Jude?«

»Nein. Das hat damit gar nichts zu tun.«

Sie richtete sich auf und dachte über etwas nach. Schließlich sagte sie es.

»Du hast aber traurige Augen und Teufelsaugen. Jüdische Augen.«

14

Die Beschneidung. Der Freund, der mit ihm in der selben Pension wohnte, hatte ihn zu einem Chirurgen gebracht, der die Sache bei sich zu Hause erledigen wollte. Ein heller Winternachmittag, ein kleiner jüdischer Arzt, sehr umgänglich, mit schwerem, deutschem Akzent, und dazu eine sehr germanische Schwester, in der, dachte Inni, der Arzt abends gut aufgehoben war. Der kleine Mann sagte, er solle sich entkleiden, betrachtete sich die Sache und sagte: »Das ist ja wirklich eine Kleinigkeit. Schwester, geben Sie ihm die Injektion.«

Plötzlich lag er auf dem Tisch, und jeder weiß, daß die Welt dann anders aussieht. Die Riesin, die plötzlich keine Beine mehr hatte und an ihm vorbeiglitt, als sitze sie in einem Boot, sagte: »Sie bekommen nur eine örtliche Betäubung.«

Örtlich! Er wollte den Kopf heben, um zu sehen, was sich da zutragen sollte.

»Ruhig liegen bleiben!«

Kahle, winterliche Zweige, reifbedeckt, weiße, glänzende Gebeine vor dem Fenster. Und an der Wand die anatomische Lektion von Professor Tulp, doch der Patient war schon tot. Der Professor und der Maler aber auch. Dieser Tulp hier noch nicht. Dieser beschäftigte sich in einer Ecke mit etwas Großem und Gekrümmtem, das einer Schere sehr ähnlich sah.

»Ich war befreundet mit eurem Dichter Schlauerhof«, sagte er auf deutsch und sprach das zweite f, das eigentlich zu dem Namen gehört,nicht aus. »Ein sehr außerordentlicher Mann, aber unglücklich, sehr unglücklich. Immer Frauengeschichten, immer Streit. Und krank. Sehr krank.«

Die Nadel, mit der die Schwester nun plötzlich wieder aus dem Nichts hervorschoß, war groß genug, um damit ein Kalb zu Boden zu strecken.

»Aha, jetzt möchten wir uns verkrümeln«, sagte die Schwester gutgelaunt und packte sein Geschlechtsteil, das die Flucht ergreifen wollte. Auf der Flucht erschossen, dachte er noch auf deutsch. Dann sah er die Nadel einen Sturzflug machen und fühlte den brennenden Schmerz eines Stichs, mitten durch das kümmerliche Opfer hindurch, das wie eine tote Maus in der großen deutschen Hand lag.

»Armer Schlau. Schon wieder so viele Jahre tot.«

Sie ließen ihn ein Weilchen liegen. Die Tänzerin auf der Reproduktion tanzte durch seine Tränen hindurch auf einem Bein. Jetzt kann ich nicht mehr bumsen, nie mehr, dachte er.

Ein schmales, behaartes Handgelenk hob eine goldene Armbanduhr zu einem Paar glänzender, dunkler Augen empor.

»So, jetzt.«

Kam jetzt eine Schere, ein Verband und ein Näpfchen? Er konnte es nicht richtig erkennen, bis die Maus zwischen Daumen und Zeigefinger am Rückenfell hochgehoben wurde und ihn vom Horizont her anstarrte. Die Spitzen der Schere waren halb nach vorn gekrümmt, ein gebogener Schnabel aus Nickel, der sich erbarmungslos in seiner Haut festbiß. Er spürte, daß es schmatzte, als würde an etwas Widerspenstigem genagt. Er empfand keinen Schmerz, aber da war etwas anderes, was er auch später nicht näher erklären konnte. Er fühlte das *Geräusch* des Schmatzens, sanft und knirschend zugleich. Die kleinere Hand hielt ein blutiges Häutchen in die Luft.

»Wirklich eine Kleinigkeit. Wie gesagt. Das können Sie jetzt vernähen, Schwester.«

Nadel und Faden, jemand machte sich jetzt daran, einen Socken zu stopfen, nähte ihn, nähte die Maus für immer zu, eine Mäusewurst. Nie mehr!

Er sah nicht mehr hin. Irgendwo wurden durch das gefühllose Fleisch Fäden gezogen, hinein und heraus, hinein und heraus. Dann eine Bewegung, die etwas Endgültiges an sich hatte, danach nichts mehr.

»Schwester!«

Gereiztheit.

»Schwester! Hundertmal hab ich Ihnen gesagt, Sie sollen den Knoten so machen, und nicht so! Das ist häßlich!«

»Soll ich es noch mal machen, Herr Doktor?«

»Nein, lassen Sie nur. Es war sowieso nix von Praxiteles.«

Dann wurde da unten alles Mögliche gemauschelt, doch er hatte Abschied genommen und verweilte in einem kleinen Universum des Kummers. Ihm war etwas abgenommen worden. Er hörte seltsame Wörter. »Wismut.« – »Pflaster.« – »Genug, genug!« Aber er wollte nichts mehr damit zu tun haben, er empfand nur noch diesen merkwürdigen Kummer. Kummer und Demütigung.

»So, stehen Sie auf.«

Langsam ließ er sich vom Tisch gleiten.

»Vorsicht!«

Plötzlich lief jeder wieder auf Beinen. Das Zimmer hatte seine untere Hälfte zurückgewonnen, und in der befand auch er sich, mit einem Rüssel zwischen den Beinen, bestehend aus einem mit Pflaster zusammengehaltenen Mullverband, in dem gelbe Flecke (»Wismut«) glühten.

»Nerven haben Sie ja überhaupt nicht.«

Das kommt dir bloß so vor, Knülch, Messerstecher. Ich hätte mir aber lieber die Zunge abgebissen, als daß ich vor dir und dieser Kriemhilde hier auch nur einen Laut von mir gegeben hätte.

Breitbeinig lief er durch das Zimmer, ein bezechter, alter Mann. Sein gesamter Körper war zum Umfeld dieses Gebrechens geworden.

»Bei den Arabern machen sie nicht soviel Federlesen damit.«

Sie hatten ihn in seine Hosen gehoben, wobei ihm vor Schmerz schwindelig wurde. Im Zimmer seines Freundes, einer dunklen Höhle voller Schlangen und Kröten im Terrarium, wartete er mit seinem immer schmieriger und schmutziger werdenden Penisfutteral die Genesung ab.

Und jetzt sah sie es sich an, ebenso ernsthaft, wie sie seiner Erzählung gelauscht hatte.

»Ich find's schön«, sagte sie.

Langsam beugte sie sich vor und nahm ihn in den Mund. Er fühlte ihre Brüste, wenn sie die Innenseite seiner Schenkel berührten. Jedesmal wenn sich ihr Kopf hob, sah er etwas von ihrer Stirn, von ihren schräg zueinander stehenden Brauen. Ihre Augen waren geschlossen, sie arbeitete, und daran war etwas Frommes, etwas Untadliges. Er saß still, hielt sich aber mit beiden Händen krampfhaft am Bettlaken fest, als fürchte er, der Augenblick, in dem es käme, würde ihn in die Luft schleudern. Als es kam, fühlte er, wie er leerströmte. Sie aber blieb so sitzen, halb vornübergebeugt, wobei die vollen prächtigen Schultern auf seinen Knien ruhten. Erst nach einer Weile richtete sie sich auf, mit geschlossenem Mund. Die grünen, schrägen Augen lachten, und wieder, wie an jenem Nachmittag, streckte sie die Zunge ein wenig heraus, auf der die weiße, glänzende, entschwindende Wolke lag, schluckte einmal und sagte spöttisch: »Drei?«

So blieben sie sitzen. Er legte ihr seine Hände unter, sanft, naß, entzückend. Sie wiegten, bewegten und schüttelten sich sanft, wobei sie murmelten, Küsse tauschten und Beschwörungen flüsterten, bis das weiße Tageslicht im Zimmer stand, sie ihn niederlegte, streichelte und wegging. Eine große Versklavung hatte begonnen. Ihr Verlobter würde aus Korea zurückkehren, und er, Inni, würde sie nie mehr küssen oder berühren. Der eine würde aus dem Leben des anderen verschwinden, sie würden getrennt sterben, das große, schwarze Nichts würde sie an getrennten Orten annagen und in sich aufnehmen. Aber sie würden einander nie (nie?) vergessen. Sein ganzes Leben würde sich um Frauen drehen. Nach diesem würde er immer weiter suchen, – bei Vorübergehenden, Freundinnen, Huren, Unbekannten. Frauen waren die Gebieter seiner Welt, einfach weil sie ihn verwalteten. Niemals würde er das Gefühl haben, daß er eine »nehme«, »erobere« oder was man sich sonst noch an stumpfsinnigen Fachbezeichnungen ausdachte, um die Wahrheit zu verschleiern, nämlich, daß man, daß er sich den Frauen auslieferte, mit einer unbedingten Hingabe, die immer wieder Mißverständnisse auslöste. Wenn die Welt ein Rätsel war, dann waren die Frauen die Kraft, die dieses pulsierende Rätsel in Gang hielt, sie, nur sie allein hatten Zutritt zu diesem Rätsel. Wenn auf dieser Welt etwas zu begreifen war, dann mußte das auf dem Weg über die Frauen geschehen. Freundschaft mit Männern konnte sehr weit gehen, aber da blieb noch die verstandesmäßige Seite der Dinge, etwas, was manche Frauen zusätzlich besaßen, ein Extra. Frauen waren ehrlicher, direkter als Worte. Sie waren Medien. Oft hatte er das Gefühl, daß Frauen ihm gestatteten, soweit es ihm möglich war, Frau zu sein, und daß er ohne das nicht überleben könnte. Nicht, daß er physisch je eine Frau hätte sein mögen, denn gerade so, mit dieser Frau in seinem Männerkörper, erlebte er die rätselhafte Empfindung der Zweiheit. Er war, was man einen Frauenmann nannte, ebenso wie man in der Mythologie ein Vogelmann sein konnte. Er haßte die Einstellung der meisten Männer gegenüber den Frauen, denn – mochte er auch die gleichen Dinge tun – seine Beweggründe waren andere. Er wußte genau, was er suchte. Sex war niemals das, worum es wirklich ging, Sex war nur das berauschende Transportmittel. Frauen, alle Frauen waren ein Mittel, das dazu diente, in die Nähe, in den Ausstrahlungsbereich des Geheimnisses zu kommen, über das sie, nicht aber die Männer walteten. Durch Männer – doch das würde er erst sehr viel später sagen können – lernt man, wie die Welt ist, durch Frauen jedoch, was sie ist. Und diese Nacht, in der sich Tausende anderer Nächte, Zimmer und Leiber übereinandergeschoben haben mochten, war die unvergeßlichste von allen.

15

Er wurde wach, als es an der Tür klopfte und er ihre Stimme vernahm.

»Deine Tante läßt fragen, ob du mit zur Messe gehst.« Ihr Duft lag ihm noch in der Nase, im Hause, auf den Korridoren, hörte man Schritte, und in der Empfangshalle wartete ein kleiner Hofstaat: der Onkel, die Tante, der Kammerherr. Morgensonne erglänzte im violetten Moiré der Schärpe.

In der Kirche ließ er die Musik von Pergolesi, den Gregorianischen Choral, die drei gemächlich tanzenden Derwische in Grün, die Predigt (»Das ist das Geheimnis, für uns nicht zu fassen: Er ist Mensch und Gott zugleich. Durch seine geheimnisvolle Menschwerdung haben wir teil am Göttlichen. Eigentlich müßten wir uns jeden Tag, allezeit, jede Stunde in Ekstase befinden, doch wir sind zu klein, zu armselig ...«), die Wandlung, die Glöckchen und das Kerzenlicht über sich ergehen und starrte auf die Glasmalereien der Kirchenfenster mit den stets anderen und stets gleichen Bildern aus einer Welt, die er ein für allemal hinter sich gelassen hatte. Ob sie wohl in der Kirche war?

In das Holz der Bank vor ihm waren Kupferschilder eingelassen. Sie trugen seinen Namen in Verbindung mit dem des Onkels: Familie Donders-Wintrop. Da durfte sie sich natürlich nicht hinsetzen. Er sah sie erst, als sie aus dem hinteren Raum der Kirche nach vorn trat zur Kommunion. Ihre vierte Todsünde, dachte er und folgte ihr. Als sie auf der Kommunionbank kniete, drehte sie sich um, und auf ihrer Zunge sah er für einen kurzen Augenblick die Hostie schimmern. Ihre Augen schauten in die seinen. Der Spott darin war jetzt ganz leicht umschleiert von etwas anderem, doch was das war, würde er nie erfahren. Er liebte sie, sie würde alles beichten, – oder auch nicht – und in ein paar Wochen würde sie ihren Soldaten aus Korea heiraten. Er kniete nieder, sah die Hand des Priesters sich nähern (Kalbfleisch), bekam Lust, ordentlich hineinzubeißen, streckte dann aber die Zunge aus. Die trockene, leichte Substanz haftete einen Augenblick lang an dem weichen, feuchten Fleisch der Zunge, dann schluckte er: Gott war im Begriff, sich einen Weg in seine Eingeweide zu bahnen, wo er – das schien jetzt ganz unumgänglich – sich in Samen verwandeln würde. In nichts anderes.

Taads wartete vor dem Haus. Er hatte schon gefrühstückt und auch veranlaßt, daß man für Inni »ein Paket Butterstullen« einpackte. Das könne er dann im Auto aufessen. Beim Abschied sagte die Tante, sie habe mit Taads etwas vereinbart, er werde davon noch hören. Sie habe mit großer Freude gesehen, daß er an der Kommunion teilgenommen habe; dann wandte sie den Blick ab. Petra sah er noch einmal, doch als er sich ihr näherte, trat sie einen Schritt zurück und schüttelte, kaum merklich, verneinend den Kopf.

»Alles Gute«, sagte sie, drehte sich um und ging in die Küche. Er bewahrte die Vision ihrer grünen Augen.

Die Tante hatte einen Geldbetrag bereitgestellt, von dem ihm die Zinsen zufielen. Es sei, so sagte Taads, nicht viel, reiche aber für jemanden in seinem Alter aus, um leidlich über die Runden zu kommen. Auch für später brauche er sich keine Sorgen zu machen, aber Einzelheiten wurden darüber nicht mitgeteilt.

In den Jahren, die dann folgten, besuchte er Arnold Taads regelmäßig, immer nach dem gleichen Ritual: Spaziergang, Lesestunde, Gulasch, immer in der gleichen, bitteren Atmosphäre selbst auferlegter, tödlicher Einsamkeit, die durch eine zunehmende manische Schlaflosigkeit noch verschlimmert wurde. Taads' Menschenverachtung schlug in wilden Haß um, und die Winter, die er in seinem »verlassenen Tal« (er wollte niemals sagen, wo das war) verbrachte, wurden immer länger. Im Jahre 1960 erhielt Inni zum ersten und zum letzten Mal einen Brief von ihm.

»Mein Lieber, der Hund Athos ist mir gestorben. Er hatte einen Hirntumor. Ich habe ihn eigenhändig erschossen. Ich weiß, daß er es nicht begriffen hat. Der Schuß hat unerträglich lange fortgehallt, es ist hier sehr leer zwischen den Bergkuppen. Ich habe ihn im Schnee begraben. Laß es Dir gut gehen, grüß Zita. Dein Arnold Taads.«

Einen Monat später oder auch etwas länger danach teilte ihm die Tante mit, Arnold Taads sei tot. Als er nicht mehr zur üblichen Proviantbeschaffung im Dorf auftauchte, hatte sich ein Rettungstrupp auf die Suche gemacht. Man fand ihn, erfroren, mit leerem Rucksack, nicht allzuweit von seiner Berghütte entfernt. Inni fragte sich, ob er wohl noch das Notsignal der Alpinisten gegeben hatte. Aber das würde niemand je erfahren. Der erfrorene Mann war eingeäschert worden, und nun gab es auf der Welt keinen Arnold Taads mehr.

3 Philip Taads
1973

Die Philosophie des Tees ... ist moralische Geometrie insofern, als sie unser Gefühl für das Verhältnis zum All bestimmt.

Kakuzo Okakura, Das Buch vom Tee

Nicht geboren werden ist unbestreitbar die beste Lage. Leider steht sie niemandem zu Gebot.

E. M. Cioran, Vom Nachteil, geboren zu sein

Es gab solche Tage, dachte Inni Wintrop, an denen ein mehrmals wiederholtes, ziemlich unsinniges Phänomen anscheinend den Beweis dafür liefern wollte, daß die Welt ein einziger Unsinn ist, dem man am besten mit Lässigkeit begegnet, weil es sonst keine andere Möglichkeit gibt, das Leben durchzustehen.

So gab es Tage, an denen man immer wieder verkrüppelte Menschen traf, Tage mit vielen Blinden, Tage, an denen man nicht weniger als drei linke Schuhe am Wege liegen sah. Es hatte den Anschein, als wollten alle diese Dinge etwas bedeuten, aber sie konnten es nicht. Sie ließen lediglich ein verschwommenes Gefühl des Unbehagens zurück, als gebe es irgendwo doch noch einen dunklen, die Welt betreffenden Plan, dem es nur auf diese unbeholfene Weise gelang, eine Vermutung von seinem Dasein zu übermitteln.

Der Tag, an dem er Philip Taads begegnen sollte, von dem er bis dahin nicht gewußt hatte, daß es ihn gab, war der Tag der drei Tauben. Der toten, der lebendigen und der besinnungslosen Taube – die niemals die gleiche Taube gewesen sein konnten, weil er die tote zuerst gesehen hatte –, und diese drei hatten, wie er später dachte, einen Versuch zur Vorankündigung unternommen, der insofern gelang, als die Begegnung mit dem jungen Taads dadurch geheimnisvoller wurde. Man schrieb nun das Jahr 1973, und Inni war vierzig geworden, – in einem Jahrzehnt, das ihm nicht gefiel. Man sollte, so fand er, überhaupt nicht in der zweiten Hälfte eines Jahrhunderts leben. Und mit diesem Jahrhundert hier sah es ganz und gar mies aus. Es war etwas Trübseliges und auch Lächerliches an all diesen zähledernen Jahren, die übereinander gekleistert wurden, bis das Jahrtausend voll war. Und ein Widerspruch war auch darin enthalten: Um die hundert und in diesem Fall auch noch die tausend voll zu kriegen, mußte addiert werden, doch das Gefühl, das man dabei hatte, nahm sich eher wie Abzählen aus, als könnte niemand, vor allem nicht die Zeit selbst, die Geduld aufbringen, um zu warten, bis die immer stärker verstaubten, hohen Zahlen durch die Revolution einiger hell strahlender, vollendet gestalteter Nullen für nichtig erklärt und auf den Müllplatz der Geschichte gekippt würden. Die einzigen, die in diesen Tagen abergläubischer Erwartung anscheinend etwas mit Sicherheit wußten, waren der Papst, schon wieder der sechste seines Namens, ein weißgekleideter Italiener, der mit einem ungewöhnlich gequälten Gesicht aufwarten konnte, das eine ziemliche Ähnlichkeit mit dem von Eichmann aufwies, sowie einige Terroristen unterschiedlicher Prägung, die vergebens versuchten, dem großen Hexenkessel zuvorzukommen. Daß er vierzig geworden war, konnte Inni nichts mehr anhaben.

»Vierzig«, sagte er, »ist das Alter, in dem man alles zum drittenmal machen oder auf bösartigen alten Mann studieren muß«, und er hatte sich zu letzterem entschlossen.

Nach Zita hatte er ein langes Verhältnis mit einer Schauspielerin gehabt, die ihn schließlich aus Gründen der Selbsterhaltung wie einen alten Stuhl vor die Tür setzte.

»Was mir noch am meisten dabei fehlt«, sagte er zu seinem Freund, dem Schriftsteller, »ist ihre Abwesenheit. Die Leute sind niemals zu Hause, und diesem Umstand versklavt man sich.«

Er wohnte nun allein und hatte vor, es auch weiterhin so zu halten. So gingen die Jahre vorüber, und selbst das war auch nur auf Fotografien zu sehen. Er kaufte und verkaufte Dinge, war nicht drogensüchtig, rauchte täglich nicht einmal ein Päckchen ägyptische Zigaretten und trank weder mehr noch weniger als die meisten seiner Freunde.

So war die Lage an jenem strahlenden Junimorgen, als auf der Brücke von der Heerenstraat zur Prinsengracht eine Taube direkt auf ihn zuflog, als wolle sie sich ihm ins Herz bohren. Statt dessen aber prallte das Tier gegen ein Auto, das aus der Prinsengracht kam. Das Auto fuhr weiter, die Taube blieb auf der Straße liegen, ein grauer, staubiger und plötzlich seltsam anmutender Gegenstand. Ein blondes Mädchen stieg vom Fahrrad und lief gleichzeitig mit Inni zu der Taube hin.

»Ist die tot, was meinst du?« fragte sie.

Er hockte sich nieder und drehte das Tier auf den Rücken. Der Kopf machte die Bewegung nicht mit und starrte weiter auf die Plastersteine.

»Finito«, sagte Inni.

Das Mädchen stellte das Fahrrad zur Seite.

»Ich bring's nicht über mich, das Tier anzufassen«, sagte sie. »Willst du es nicht aufheben?«

Solange die noch »du« sagen, bin ich noch nicht alt, dachte Inni und hob die Taube auf. Er mochte Tauben nicht. Sie besaßen überhaupt keine Ähnlichkeit mit dem, was er sich früher unter dem Heiligen Geist vorgestellt hatte, und daß es mit dem Frieden nie so recht etwas wurde, ging wahrscheinlich auch zu ihren Lasten. Zwei weiße, sanft gurrende Tauben im Garten einer toskanischen Villa, das ging noch, aber der graue Schwarm, der mit Sporen an den Stiefeln über De Dam marschierte (dazu noch diese idiotische, mechanische Pickbewegung in den Köpfen), der konnte nie und nimmer etwas mit einem Geist zu tun haben, der ausgerechnet diese Gestalt angenommen haben soll, um über Maria zu kommen.

»Was willst'n jetzt damit machen?« fragte das Mädchen.

Inni schaute um sich und sah auf der Brücke einen kommunalwirtschaftlichen Holzkübel stehen. Dort ging er hin. Es war Sand darin. Darauf legte er die Taube sanft nieder. Erotisches Moment: Mann mit toter Taube, Mädchen mit Fahrrad und blauen Augen. Sie war schön.

»Da gehört die Taube nicht hin«, sagte sie. »Dann schmeißen sie die Arbeiter gleich ins Wasser.«

Ob die nun im Wasser oder im Sand verfault, dachte Inni, der stets verkündete, man solle ihn nach seinem Tode am besten in die Luft sprengen, aber das war jetzt nicht der passende Zeitpunkt, einen Meinungsaustausch über die Vergänglichkeit zu führen.

»Hast du's eilig?« fragte er.

»Nein.«

»Dann gib mir mal den Beutel da.«

An ihrer Lenkstange hing ein Plastikbeutel vom Athenaeum Boekhandel.

»Was steckt'n da drin?«

»Ein Buch von Jan Wolkers.«

»Da kann die Taube auch noch rein«, sagte Inni. »Geblutet hat sie ja nicht.«

Er tat die Taube in den Beutel und hängte ihn an die Lenkstange.

»Setz dich mal hinten drauf!«

Er nahm das Fahrrad und fuhr los, ohne sich umzusehen.

»He!« rief sie.

Er hörte ihren schnellen Laufschritt und merkte, daß sie sich auf den Gepäckträger schwang. In den Schaufenstern sah er den flüchtigen Widerschein dessen, was sich wie Glück ausnahm. Älterer Herr auf Damenrad, hinten auf dem Gepäckträger Mädchen in Jeans und mit weißen Turnschuhen.

Er fuhr die Prinsengracht hinunter bis zum Haarlemmerdijk, und schon von weitem sah er, daß sich die Schlagbäume der Brücke senkten. Sie stiegen ab, und als die Brücke langsam in die Höhe kletterte, sahen sie die zweite Taube. Sie saß, als sei das überhaupt nichts Besonderes, in einem der offenen Metallträger unter der Brücke und ließ sich mit hochhieven, – wie ein Kind im Kettenkarussell. Einen Augenblick lang verspürte Inni Lust, die Taube, die im Plastikbeutel an der Lenkstange hing, hervorzuholen und ihrer langsam emporsteigenden, noch lebenden Kollegin wie ein Sühneopfer darzubringen, doch er glaubte nicht, daß das Mädchen Gefallen daran finden würde. Und überhaupt, was sollte eine solche Geste bedeuten? Er erbebte und wußte, – wie üblich, – nicht warum. Die Taube kam wieder herab und verschwand unverwundbar unter dem Asphalt. Sie radelten weiter bis zum Westerpark. Irgendwo in einem Eckchen grub das Mädchen mit ihren kleinen braunen Händen ein Grab in den schwarzen, feuchten Boden.

»Tief genug?«

»Für 'ne Taube bestimmt.«

Er legte das Tier, das den Kopf nun wie eine Kapuze auf dem Rücken trug, in die Grube. Gemeinsam schoben sie etwas lose Erde darüber.

»Wollen wir was trinken?«

»Ja.«

Etwas an diesem Minimaltod – entweder der Tod selbst oder das Ritual in Zusammenhang damit – hatte sie zusammengeführt. Jetzt mußte etwas geschehen, und wenn das auch etwas mit dem Tod zu tun hatte, würde es zumindest nicht sichtbar sein. Er radelte die Nassaukade entlang. Schwer war das Mädchen nicht. Das war es, was ihm an seinem eigenartigen Leben gefiel: Noch beim Aufstehen hatte er nicht gewußt, daß er jetzt mit einem Mädchen auf dem Gepäckträger umherradeln würde, wohl aber, daß diese Möglichkeit immer bestand. Das verlieh ihm, dachte er, etwas Unüberwindliches. Er betrachtete die Gesichter der Männer in den Autos, die ihnen entgegenkamen, und da wußte er, daß sein Leben, der Unsinn dieses Lebens, das Richtige war. Leere, Einsamkeit und Angst, das hatte seine Nachteile, aber es gab auch Entschädigungen dafür, und das hier war eine. Sie trällerte leise vor sich hin, verstummte dann und sagte, als hätte sie einen Beschluß gefaßt: »Hier wohne ich.« Es war eher ein Befehl als eine Bemerkung. Er gehorchte und bog, ihrem Fingerzeig folgend, in die

138

Tweede Hugo de Grootstraat ein. Sie schloß ihr Fahrrad mit einer schweren Eisenkette am Pfahl einer Parkuhr an und öffnete eine Tür. Ohne etwas zu sagen, ging sie voran, eine nicht enden wollende Zahl von Treppenabsätzen hinauf. Die Promiskuität hatte in Amsterdam, vor allem wenn man sich den jüngeren Jahrgängen zuwandte, viel mit Treppen zu tun. Er kletterte ruhig hinter den federnden Turnschuhen her und regulierte seine Atmung so, daß er nicht keuchen würde, wenn sie oben ankamen. Dieses Oben lag sehr weit oben, ein Zimmerchen mit einem Dachfenster. Pflanzen, Bücher in einer Apfelsinenkiste, ein Poster von Elvis Presley, die Zeitschrift »Vrij Nederland«, atemberaubend kleine Slips, weiß und hellblau, über einer Leine vor dem offenen Fenster. Der Begriff des mit Melancholie vermischten Glücks, dachte er, ist ein Klischee, – ebenso wie dieses Zimmerchen und ich selbst in diesem Zimmerchen. Das ist alles schon einmal geschehen. Zwar muß man sich immer wieder aufs neue danach sehnen, aber es ist alles schon einmal geschehen. Sie legte eine Platte auf, die ihm irgendwie bekannt vorkam, und ging dann auf ihn zu. Das hier war, wie er begriffen hatte, eine Generation, die keine Zeit verschwendete. Die zogen einen an und aus wie einen Handschuh, treffsichere Handlungen, die einer schnellen Beschlußfassung folgten. Am ehesten hatte das noch Ähnlichkeit mit einem Arbeitsverfahren.

Sie stand nun unmittelbar vor ihm. Sie war fast so groß wie er, und er schaute ihr unverwandt in die blauen Augen. Sie hatten auf ernst geschaltet, aber es war ein Ernst, dessen Boden man sehen konnte, ein Ernst ohne Strukturunterbau. Sie hatte noch nicht gelitten, und auch das war kein Zufall. Man konnte, so hatte er es gelernt, sich auch weigern zu leiden, und das tat man heute in großem Maßstab.

Er entkleidete sie, sie entkleidete ihn, und sie lagen nebeneinander. Sie roch nach Mädchen. Er streichelte sie, sie dirigierte seine Hand mehrmals über sehr kleine Abstände, sagte: »Nein, da nicht, hier«, und schien ihn dann zu vergessen. Der Körper als Schaltanlage. Sie wurde fertig, ohne Defekt am Motor. Das hatte, wie er fand, etwas sehr Reizvolles an sich. Seine eigene Leistung glich einem zu großen Auto auf einem kleinen englischen Landweg. Ein paar Jahre später würde die halbe amerikanische Autoindustrie an einem solchen Anachronismus zugrunde gehen. In Betten konnte man immer noch viel lernen. Er blieb noch ein Weilchen liegen und fühlte die kleinen luftgekühlten (Tennis? Basketball?) Hände seinen Rücken streicheln.

»So«, sagte sie. Und dann: »Wie alt bist'n eigentlich?«

Er sah die Handschrift, mit der sie das in ihr Tagebuch (nein, Unsinn, die haben doch keine Tagebücher mehr) eintragen würde, und sagte: »Fünfundvierzig.«

Er sagte das nur so dahin.

»Mit einem, der so alt ist, hab ich's noch nie gemacht.«

Rekorde, damit quälten die sich auch herum. Das konnte man ihnen aber kaum übelnehmen.

»Da darfst du aber keine Gewohnheit draus machen.«

»Ich fand's ganz hübsch.«

Eine ungeheure Mattigkeit durchströmte seinen Körper, doch er erhob sich. Sie drehte sich eine Zigarette.

»Du auch?«

»Nein, danke.«

Er wusch sich am Waschbecken und wußte, daß sie

nicht zu ihm herüberschaute. Er zog sich an. Es war Sommer, da ging das sehr schnell. Das Leben als Ereignis.

»Was machst du jetzt?«

»Ich hab eine Verabredung mit einem Freund.«

Das entsprach der Wahrheit. Er hatte eine Verabredung mit Bernard Roozenboom. Bernard war in den Fünfzigern. Zusammen waren sie fast hundert Jahre alt. Konnte man das, wenn man so alt war wie sie, noch Freundschaft nennen? Er ging zum Bett, kniete neben ihr nieder und streichelte ihr das Gesicht. Sie schaute, als sehe sie sich einen japanischen Film an.

»Seh ich dich noch mal?« fragte er.

»Nein. Ich habe einen Freund.«

»Aha.«

Er stand auf, nicht zu schnell, wegen des Moments, und nicht zu langsam, um nicht zu alt auszusehen. Dann verließ er das Zimmer auf Zehenspitzen, warum, wußte er selbst nicht, doch er vermutete das Schlimmste (mein Töchterchen schläft).

»Mach's gut.«

»Mach's gut.«

Erst als er schon zwei Straßen gegangen war, wurde ihm bewußt, daß keiner von ihnen beiden den anderen nach dem Namen gefragt hatte. Er blieb stehen und sah sich ein Schaufenster voller Elektrogeräte an. Bügeleisen und Apfelsinenpressen starrten zurück. Was bedeuteten Namen eigentlich? Was würde sich an dem gerade Geschehenen ändern, wenn er ihren Namen wüßte? Nichts. Und doch kam es ihm so vor, als müsse mit einer Zeit, in der man namenlos miteinander ins Bett gehen konnte, nicht alles in Ordnung sein. »Aber das hat's immer schon gegeben«, sagte er laut zu sich selbst und kam dann auf seinen vorherigen Gedanken zurück: Was bedeuteten Namen eigentlich? Eine Reihe geordneter Buchstaben, die, wenn man sie ausspricht, ein Wort bilden, mit dem man auf die eine oder andere Weise jemanden anreden oder benennen kann. Meistens hatten diese kürzeren oder längeren Buchstabenanordnungen ihre Wurzel in der kirchlichen oder biblischen Geschichte und standen so auf eine für ziemlich jeden unklar gewordene Art in Zusammenhang mit menschlichen Wesen, die wirklich gelebt hatten, aber das machte die Sache nur noch rätselhafter. Daß man seinen Namen nicht selbst wählen konnte, war schon Willkür genug, doch einmal angenommen, man könnte im Sinne der Wiedertäufer als Erwachsener seinen Namen selbst wählen, inwieweit würde man dann diesen Namen verkörpern? Er las die Namen an den Haustüren, an denen er vorbeikam. Das waren allerdings Nachnamen, und das war noch schlimmer. De Jong, Zorgdrager, Boonakker, Stuut, Lie. Hier wohnten also Körper, die so hießen. Bis zu ihrem Tode. Danach gingen die Körper in Verwesung über, doch die Namen, die einmal zu ihnen gehört hatten, würden noch ein Weilchen in Registern, Grundbüchern und elektronischen Datenverarbeitungsanlagen herumquengeln. Doch mußte es irgendwo in den elf Provinzen der Niederlande einmal einen Acker gegeben haben, auf dem Bohnen wuchsen, und etwas von dem Acker, den es einmal gegeben hatte, war in den weißen Kursivbuchstaben an dieser Tür erhalten geblieben. Derartigen Gedankengängen haftete etwas Unangenehmes an, und das paßte nicht zu den Plänen, die er für diesen Tag gemacht hatte. Dies war, so hatte er bereits beschlossen, ein glücklicher Tag, und davon ließ er sich nicht abbringen. Außerdem hatte ihm dieser erste Sommermorgen ein Mädchen in die Arme geführt, ein weibliches Wesen, das ihm die Winterkälte aus den Gebeinen vertrieben hatte. Und dafür mußte er dankbar sein. Er beschloß, sie »Täubchen« zu nennen, und betrat eine Telefonzelle, um Bernard zu sagen, daß er etwas später komme.

Als er etwa eine Stunde später Bernards Kunsthandlung über den heißen und lärmerfüllten Rokin fast erreicht hatte, bemächtigte sich seiner ein angenehmes Gefühl der Vorahnung. Bernard Roozenboom war der letzte Sproß eines Geschlechts angesehener Kunsthändler und hatte sich in seinem Laden, wie er es nannte, wie ein Maulwurf verschanzt. Das Schaufenster, in dem meistens nur ein einziger Kunstgegenstand ausgestellt war, – eine italienische Renaissancezeichnung oder ein kleines Gemälde eines nicht allzu bekannten Meisters aus der Blütezeit der niederländischen Schule im sechzehnten und siebzehnten Jahrhundert –, schien eher dazu angelegt, Besucher abzuschrecken als sie anzuziehen.

»Bei dir sieht alles so abweisend und verschlossen aus, daß du die Angstschwelle mindestens um einen Meter angehoben hast«, hatte Inni einmal gesagt. Bernard zuckte nur mit den Schultern.

»Wer mich braucht, wird mich schon finden«, gab er zur Antwort. »Alle diese Emporkömmlinge, reich gewordene Unternehmer, Herzspezialisten und Zahnärzte kaufen...« und hier zeugte der Ton von unendlicher Verachtung, »...*moderne* Kunst. In *Galerien.* Um das zu kaufen, was ich anbiete, muß man schon Ahnung haben. Aber nicht bloß *Ahnung* so ganz allgemein, sondern Ahnung von etwas *Bestimmtem.* Und davon kommt heutzutage nicht mehr allzuviel zur Verteilung. Auf der Welt gibt's viel träges Geld, und träges Geld weiß nichts.«

Inni hatte noch nie jemanden dort gesehen, ausgenommen einige Ausländer und einen berühmten Kunsthistoriker, aber das wollte nicht viel bedeuten. In einem Geschäft wie dem von Bernard konnte ein einziger Käufer den Umsatz eines halben Jahres wettmachen, ganz abgesehen davon, daß Bernard reich war. Um zu seinem Freund zu gelangen, mußte man durch drei Türen gehen. Auf der ersten, der Außentür, stand sein Name in Goldbuchstaben. »*Englische* Buchstaben«, sagte Bernard. Wenn man durch diese Tür eingelassen wurde, stand man in einer ziemlich kleinen, plötzlich sehr still anmutenden Halle, die den Ausblick auf eine zweite Tür gewährte. Der Rokin war schon sehr weit weg. Sobald man die auf Hochglanz geputzte Klinke der zweiten Tür berührte, ertönte ein anmutiges, kurzes Glockenspiel. Man stand dann in einem zweiten Raum (»Das nennt ihr Römischgesinnten doch die Vorhölle, oder ist das schon das Fegefeuer?«), und meistens erschien jemand. Durch die Verglasung, die die Hinterseite des Schaufensters bildete, sickerte ein bißchen gefiltertes Tageslicht auf den Perserteppich, der jeden Schritt dämpfte, und auf die zwei, höchstens drei Gemälde, die in diesem Raum hingen und auf die eine oder andere Weise eher den Gedanken an Geld als an Kunst wachriefen. (»Meine *samtene* Mausefalle.«) Nach Ablauf einer gewissen Zeitspanne bewegte sich ein träger Schatten hinter dem Fenster, das dort in der Ferne lag und einem nicht höher als bis zu den Knien reichte. (»Ich wohne in der Unterwelt, aber ich suche niemanden.«) Um dorthin zu gelangen, mußte man eine Treppe hinabsteigen. (»Drei Stufen, ebenso wie bei der goldenen Kutsche, aber die von den *Orangen* kaufen keine Kunst.«) Der Raum selbst war klein und dunkel. Zwei Schreibtische standen darin. Einer für Bernard und einer für die Sekretärin, wenn sie da war. Des weiteren bestand die Einrichtung aus einem schweren Sessel, einem bis auf den Faden verschlissenen zweisitzigen Chesterfield und einigen Bücherschränken voller ledergebundener Nachschlagewerke, in die Bernard nicht hineinzuschauen brauchte, weil er alles wußte.

»Guten Tag, der Herr«, sagte Bernard Roozenboom. »Ich kann dir nicht die Hand geben, denn ich werde gerade maniküt. Das ist Frau Theunissen, sie führt seit meiner frühesten Jugend den Befehl über meine Fingernägel.«

»Guten Tag, gnädige Frau«, sagte Inni.

Die Dame nickte. Bernards rechte Hand lag in ihrer linken unter einer grellen Operationslampe wie ein betäubter Patient. Über einem Schälchen Wasser feilte sie behutsam seine rosaroten Fingernägel, einen nach dem anderen. Ehe Inni das von Kees Verwey gemalte Porträt Lodewijk van Deyssels gesehen hatte, war er der Meinung gewesen, Bernard Roozenboom sehe so aus, wie er sich den Baron de Charlus vorstellte, obwohl es diesem gewiß nicht gefallen hätte, Ähnlichkeit mit etwas zu besitzen, was er »einen Israeliten« nannte. Wie diese Israeliten nun aber wirklich aussahen, wußte auch niemand mehr so recht, seit man in den Zeitschriften die Aufnahmen von den weiblichen israelischen Soldaten mit hellblondem Haar veröffentlicht hatte. Die herzogliche Allüre von Bernards Nase stammte aus seinen eigenen Renaissancezeichnungen. Sein spärliches Haar hatte die nordische Rötlichkeit, die so gut zu Tweed paßt. Und seine blaßblauen Augen hatten nichts von den funkelnden Morellen des Verfassers von »À la Recherche du temps perdu« oder wie Bernard mit Vorliebe sagte »perdà«. Und dabei hatte niemand außer Proust und seinen Lesern den Baron jemals gesehen, wenn es überhaupt möglich ist, jemand zu sein, der nur aus Worten besteht und den man dennoch sehen kann. Wie dem auch sei, wenn wirklich jemand auf bösartigen alten Mann studierte – und das waren Charlus und van Deyssel jeder auf seine Art gewesen –, dann war es Bernard. Skepsis, Arroganz und Abstand wirkten in diesem Gesicht zusammen, machten die beißenden Aphorismen, deren er sich gegen Freund und Feind bediente, noch verletzender – eine Eigenschaft, die durch finanzielle Unabhängigkeit, messerscharfe Intelligenz, große Belesenheit und hartnäckiges Junggesellentum noch verstärkt wurde. Seine Kleidung, die er in London schneidern ließ, verhüllte nur mit Mühe eine schwerfällig und ziemlich bäurische Figur: Seine gesamte Erscheinung stank – so sagte er selbst – auf eine herausfordernde Weise nach vergangenen Zeiten.

»Nun, mein Herr, kommst du wieder mal, um uns ein bißchen Plunder vorzuführen?«

Bernard Roozenboom war der einzige, der sich seit Innis Vierzigstem weigerte, ihn beim Namen zu nennen. »Inni. Ça me fait rire. Das ist kein Name, das ist ein Geräuschsplitter. Aber Innigo ist noch lächerlicher. Manche Leute glauben, wenn sie ihrem Kind den

Namen einer Berühmtheit geben, wird das dazugehö-
rige Genie gleich mitgeliefert. Innigo Wintrop, der
weltberühmte Architekt. Innigo Wintrops revolutio-
näre Entwürfe in der Tate Gallery.«

Inni legte die beiden Gegenstände, die er mitgebracht
hatte, auf den leeren Schreibtisch der Sekretärin.

»Zeig mal her.«

»Gleich.« Er hatte keine Lust, sich vor der Manikürdame lächerlich machen zu lassen. »Ich will nicht
leugnen, daß du etwas von dem besitzt, was die Deutschen ›Nase‹ nennen«, hatte Bernard einmal gesagt,
»aber bestenfalls bist du ein Dilettant, eigentlich nur
ein ganz gewöhnlicher Schacherer.«

Inni ließ sich auf dem Chesterfield nieder und blätterte
in der *Financial Times*.

»Boeing gesunken, KLM gesunken, und der Dollar
fühlt sich auch nicht recht wohl«, sagte Bernard, der
über Innis finanzielle Angelegenheiten ein wenig
wußte. »Hättest du voriges Jahr bei mir die Zeichnung
von Roghman gekauft, brauchtest du jetzt nicht so
vergnatzt zu gucken. Dann wärst du zumindest nichts
losgeworden.«

»Ich wußte nicht, daß du die liest«, sagte Inni und
schob die rosafarbene Zeitung von sich.

»Tu ich auch nicht. Die hat'n Kunde liegenlassen.«

»Der wollte sicher 'n Appel kaufen.«

»Bin kein Obst- und Gemüsehändler«, sagte Bernard
Roozenboom. »Zeig Frau Theunissen mal deine
Nägelchen, dann kriegst du von Onkel Bernard einen
Nagelhochglanz gratis.«

»Nein, danke, ich knabbere sie mir immer selber ab.«

»Dann gieß dir mal einen Portwein ein.«

Inni fand es gemütlich. Er liebte den Mahagonischrank, in dem der Portwein stand. Er liebte die Kristallkaraffe, die aus dem siebzehnten Jahrhundert stammte und unter dem Lämpchen von Frau Theunissen tiefgrün glänzte. Die Idee des Geldes an sich sagte ihm nun, da er älter war, nicht mehr sehr viel. Geld, das immer nur Geld blieb, faulte, lag irgendwo stinkend herum, verschimmelte, pflanzte sich fort und wurde gleichzeitig ausgehöhlt. Wachstums- und Krankheitsprozesse, die einander auf unangenehme Weise aufhoben, ein Krebs, von dem jeder, der mit diesem Zeug umging, mehr oder minder stark befallen wurde. Hier in Bernards Domäne hatte sich das Geld mit einem etwas edleren Element vermischt. Das war nicht die Rutschbahn der Schluckspechte und Angsthasen, sondern die stille Welt der Gegenstände, die Genie und Macht ausdrückten, wo Geld erst nach Wissen, Liebe, Sammeltrieb, Opfern und dem dazugehörigen verblendeten Unsinn kam. Mit geschlossenen Augen sah er den Saal vor sich, der sich über dem Büro seines Freundes befand. In hohen Schränken lagen da die unzähligen Zeichnungen, die das Herz von Bernards hochspezialisierter Sammlung ausmachten. Gewiß, auch diese Zeichnungen drückten Geld aus, zugleich aber auch etwas, was bleiben würde, wenn ihr Geldwert durch beliebige Umstände zunichte gemacht würde. Und dann gab es da noch das Geheimzimmer, wo Bernards Privatsammlung gespeichert lag. Er zeigte sie kaum jemandem, doch Inni wußte, daß sie – auch wenn sein zynischer Freund es nie aussprach – den Sinn seines Lebens bildete. Wie er so dasaß, fühlte er die stille Macht all dieser Dinge um sich herum, die auf geheimnisvolle Weise zwischen ihm und längst vergangenen Menschen und Zeiten eine Verbindung herstellten.

Als die Manikürdame gegangen war, griff Bernard nach Innis Mappe auf dem Schreibtisch. Schweigend betrachtete er das erste Blatt. Inni wartete.

»Wenn du bloß ein klein bißchen Format hast, weißt du, was ich hier in der Hand halte«, sagte Bernard schließlich.

»Weil ich ein klein bißchen Format habe, hältst du das in der Hand.«

»Bravo. Und trotzdem weißt du nicht, was es ist.«

»Auf jeden Fall habe ich gewußt, was es nicht ist.«

»Was hast du dafür bezahlt?«

»Zuwenig, wie ich glaube, wenn ich höre, wieviel Aufhebens du davon machst.«

»Es ist nicht gerade Spitze, aber doch entzückend.«

»Entzückend?«

»Ich bin geradezu versessen auf die Sibyllen.«

»Daß das eine Sibylle ist, habe ich auch gemerkt. Ich kann immerhin lesen.«

»Ein römisch gesinnter Knabe kann schon sein Latein.«

»Stimmt. Aber von wem ist es?«

»Von Baldini.«

»Aha.«

Von Baldini hatte Inni noch nie etwas gehört, und er fragte sich im stillen, ob das wohl schlimm sei.

»Von Baldini wissen wir eigentlich nichts«, sagte Bernard, der mit diesem »wir« eine weltweite Wissensanhäufung um sich herum aufstapelte, von der Inni selbstverständlich ausgesperrt war.

»Wir auch nicht«, sagte er und wartete. Gleich mußte das Feilschen losgehen. Das Schöne an Freunden war, daß man sie kannte und somit nicht so schnell von ihnen enttäuscht werden konnte.

»Eigentlich ist es eine schwerfällige, hölzerne Radierung«, sagte Bernard. »Unbeholfen. Freund Baldini war kein Meister. Aber sehr früh ist er, das stimmt. Er kommt in Vasari vor. Du brauchst dir nur den Schatten des Schattens von Botticelli vorzustellen.«

Inni hatte Vasari – wenn auch auf Bernards Empfehlung – allerdings gelesen, aber an etwas über einen Baldini konnte er sich nicht erinnern.

»Baldini?«

»Baccio Baldini. Schon vor 1500 gestorben. Warum hast du die Radierung gekauft?«

»Ich fand sie merkwürdig. Und dieses ›n‹ war so kindlich durchgestrichen, das fand ich geistreich.«

»Hm.« Die unbeholfene Banderole oben rechts auf der Radierung enthielt einen Text, dessen letztes Wort Regina lautete. Vorher hatte dort Rengina gestanden, doch das n war dann durchgestrichen worden und zwar mit einem Kreuz, wie es Analphabeten benutzen, wenn sie ihre Unterschrift geben, ernsthaft und endgültig.

»I see. Warum aber merkwürdig?«

Gemeinsam betrachteten sie die Libysche Sibylle. Sie saß da in einem weiten Zelt steif radierter Gewandung und schien zu lesen. Hinter ihr wurde der Schleier durch einen Windstoß gebläht, der auf unerklärliche Weise nichts anderes in der Darstellung zu berühren schien. Das Oberteil ihres Überwurfs war so reich geschmückt, daß das Gesicht weiß und leer darüber hinausragte. Die Augen, die anscheinend durch oder über das auf ihrem Schoß aufgeschlagene Buch blickten, verliehen dem Gesicht eine scheue, träumerische Abwesenheit. Eine Abwesenheit, dachte Inni, die jetzt schon fast fünfhundert Jahre alt ist. Er sah die tote Taube vor sich. Das Bild einer Taube konnte überleben, die Taube nicht. Es hatte nichts zu bedeuten, wenn man so dachte, und doch war es schauderhaft. Ein großes Wort. Und auch rätselhaft.

»Die brütet eine bösartige Prophezeiung aus«, sagte Bernard. »Und Karnickelohren hat sie auch. Aber das ist wahrscheinlich das Libysche an ihr.«

»Das hat mehr Ähnlichkeit mit einem Holzschnitt«, sagte Inni.

»Niello«, erwiderte Bernard, und als Inni nicht reagierte, fügte er hinzu: »Niello ist die Bearbeitung schwarzer Emaille. Daher stammt die Technik.« Und dann: »Und doch ist es eine ganz hübsche Sache.«

Das bleiche Haupt war von einem Blütenkranz bedeckt, unter dem ein Schleier hervorwehte. Und dieser Schleier machte hinter dem Körper plötzlich eine seltsame Windung, die gegen alle Naturgesetze verstieß. Das lorbeerbekränzte Haupt wurde zusätzlich durch einen kleinen, pyramidenförmig zulaufenden Gegenstand gekrönt, der an beiden Seiten mit drei langen, dünnen Blättern oder Federn versehen war, die der Sibylle – schon weil ihre eigenen, zweifellos kleinen Elfenbeinöhrchen unter der dicken, unlibysch blonden und geflochtenen Haartracht nicht zu sehen waren – in der Tat das Aussehen einer eleganten Häsin in Menschengestalt verliehen.

»Wir wollen mal ihr Personenregister nachschlagen«,

sagte Bernard. »Komm mal mit nach oben. Ich bin der Richtpunkt für den Unwissenden, der in der Finsternis umherirrt.«

Korridore und viel Hantiererei mit Schlüsseln. Inni mußte plötzlich wieder an das Mädchen denken.

Bernard holte aus einem Schrank ein Buch hervor und legte es vor Inni hin.

»Early Italian engravings from the National Gallery of Art. Alphabetisch geordnet.«

Inni blätterte und fand seine Sibylle. Das gab ihm ein Gefühl des Stolzes, als würde die Radierung dadurch erst richtig ins Dasein gerufen. Er betrachtete seinen Fund mit noch etwas mehr Ehrerbietung.

»Die hängt also in Washington«, sagte er.

»Ob sie hängt, weiß ich nicht. Die haben da gewiß noch mehr zum Aufhängen. Aber da ist sie. Lies dir das mal alles durch. Oder lieber nicht, das ist zuviel, denn das Buch ist sehr ausführlich geschrieben. Ich lasse mal eine Fotokopie machen, die gibst du dann gleich mit ab, wenn du zu Sotheby gehst.«

»Wenn *du* zu Sotheby gehst«, sagte Inni.

»Auch gut. Wenn ich schon mal gehe.«

Bernard brachte ein weiteres Buch angeschleppt.

»Paß mal auf, lieber Freund«, sagte er, »ein paar solide Kilo *Liebe,* denn dieses Meisterwerk wurde mit den Ingredienzen des Seltenen bereitet: unendliche Geduld, großes Wissen, vor allem aber Liebe. Vom alten Frits Lugt, einem sehr reichen Mann, der sein Geld in Zeit umwandelte, die Quintessenz der Alchemie. Sieh mal her. Alle Sammlerkennzeichen. Das ist schon ganz hübsch. Denn das hat unser kleiner Kunsthändler natürlich mal wieder nicht gesehen.«

»Was?«

»Daß auf deiner Radierung ein Sammlerkennzeichen ist. Oder was dachtest du, was das hier ist?« Er deutete auf ein seltsames, kleines zierliches Zeichen auf der Rückseite der Radierung.

»Da bin ich mal neugierig, ob wir das ermitteln können.«

Inni las den Titel des Buches: »*Les marques de Collections de dessins et d'estampes*, Frits Lugt, Amsterdam 1921.«

»Such ruhig mit«, sagte Bernard.

Inni betrachtete das Zeichen. Zwei merkwürdige Insektenbeine ohne Leib, dazwischen drei vertikal absinkende Linien, die in ein Kügelchen ausliefen.

»Es sieht so aus, als sei es das sexuelle Symbol eines Indianerstammes.«

»Jaja«, sagte Bernard, »the eye of the beholder. Indianer haben wenig Frührenaissance gesammelt. Wenn du fleißig mitsuchst, haben wir's bald.«

»Vielleicht steht's gar nicht drin.«

»Da spricht die verächtliche Generation. Im Lugt steht alles.«

Er behielt recht. Die Insektenbeine waren stilisierte, gegeneinandergesetzte R, die Initialen des Freiherrn C. Rolas du Rosey († 1862), général prussien, Dresde.

»›Estampes et dessins‹, das ist in Ordnung«, sagte Bernard. »Das waren noch Zeiten.« Er las laut: »... importante collection d'objets d'art, de curiosités ... lui-même a dressé premier catalogue raisonné ... guck mal an, diese deutschen Junker ... première vente 8 Avril 1863 ... viel Radierungen ... nicht so ganz Spitze ... hihi ... auktioniert in Leipzig ...

Preise nicht sehr hoch ... und so auf dem geheimnisvollen Umweg der Dinge in Rom, cloaca mundi, gelandet ... wo der große Kunstkenner Wintrop ... bei einer Auktion ... in einem Laden ... darin eine Radierung von Baldini...«

»Einem Laden?«

»...erkennt und für eine Kleinigkeit einstreicht. Glückwunsch. Irgend etwas wirst du dabei schon herausholen. Da brauchst du mal wieder ein paar Monate lang nicht von der Substanz zu zehren und hast obendrein noch das Gefühl, daß du gearbeitet hast. Und das andere Ding da, was ist das?«

»Ein japanischer Stich.«

»O Gott.«

»Ansehen kannst du ihn dir schon mal.«

»Nein. Geh damit zu Riezenkamp. Der ist Experte darin. Ich habe keine Ahnung davon. Ich sehe nichts auf diesen Stichen, für mich kommen die vom Mars. Alle diese stereotypen krummen Nasen, diese schmalen Puppenköpfe ohne, mit zu wenig oder mit viel zu viel Ausdruck. Richtig was für dich. Omnivore, omnifume, omniboit, omnivoit. Du kannst nicht auswählen, das ist immer Mangel an Format. Deshalb bist du ein Schacherer. Das ist einer, der alles schön findet. Dazu ist das Leben zu kurz. Man kann wirklich nur schön finden, wovon man etwas versteht. Wer nicht auswählt, wird im Morast zugrunde gehen. Schlamperei, Mangel an Aufmerksamkeit, von nichts wirklich Ahnung, die schlammige Seite des Dilettantismus. Die zweite Hälfte des zwanzigsten Jahrhunderts. Mehr Chancen für jeden. Mehr Menschen wissen weniger über mehr. Streuung des Wissens über eine möglichst

große Fläche. Wer Schlittschuh laufen will, bricht im
Eis ein. Also sprach Bernard Roozenboom.«
Sie gingen nach unten.
»Wo Riezenkamp sitzt, weißt du?«
»In der Spiegelgracht.«
»Richte ihm Grüße aus. Er ist ein achtenswerter
Mann.«

3

Draußen kam er wieder in den Sonnenschein. Alles und jeder sah aus wie in Glück getaucht. Die Stadt, die in den letzten Jahren das Aussehen einer geschleiften Festung angenommen hatte, schien zu glänzen. Licht tanzte im Wasser des Rokin. Er bog in den Spui ein, sah in der Ferne den hellgrünen Glanz der Bäume am Begijnhof. Da erschien ihm die dritte Taube, und diese tat etwas, was er eine Taube noch nie hatte tun sehen: Sie schuf ein Kunstwerk, und zwar mit voller Hingabe, wie sich das gehört, denn sie flog mit mächtigem Schwung gerade auf die Schaufensterscheibe von Bender los, hinter der Flügel und Klavizimbel unbeweglich auf künftige Genies warteten. Der Aufprall war heftig. Einen Augenblick lang schien es, als bliebe der Vogel für immer an der Scheibe kleben, doch dann flatterte er, um nicht abzustürzen, verzweifelt auf der Stelle umher und drehte bald darauf ab wie ein nicht mehr zu steuerndes Flugzeug. Was zurückblieb war ein Kunstwerk, denn auf der Scheibe zeichnete sich gerade mannshoch in Amsterdamer Straßenkehricht und Staub skizzenhaft die vollendete Gestalt einer Taube ab, Feder um Feder, mit weit ausgebreiteten Schwingen: Der Aufprall hatte den wesenlosen Doppelgänger dieser Taube dem Glas in Staub aufgedrückt.

Was wollten diese Tauben ihm eigentlich sagen?

Er wußte es nicht, traf aber die Entscheidung, daß

diese letzte, sibyllenhafte Mitteilung, Prophezeiung oder Warnung kein wirkliches Unheil in sich barg. Die Taube war immerhin, im Gegensatz zu ihrer toten Artgenossin, wieder schwankend zum Himmelsblau emporgeschnellt und hatte lediglich ihren Geist – und sei es auch nur in Form von Staub – zurückgelassen.

Bei Riezenkamp herrschte eine andere Art der Vornehmheit als bei Bernard. Ein totenstiller Bronze-Buddha, die rechte Hand vor sich ausgestreckt und in einer Haltung, die Abwehr auszudrücken schien – was aber, wie Inni später lernte, gerade nicht zutraf –, starrte über die Spiegelgracht in ein absolutes und unentrinnbares Nirgendwo. Ein leises Lächeln spielte um seine sinnlichen Lippen, doch im übrigen war der Ausdruck streng. Die pyramidenförmige Kopfbedeckung, die er trug, erinnerte Inni ein wenig an die Libysche Sibylle. Tauben, Orakelverkünder, Prediger, das war ganz klar ein Tag, an dem es das Höhere auf ihn abgesehen hatte. Er starrte auf die unverhältnismäßig langen, schwarzen und ausgedehnten Ohrläppchen des geballten Bronzestandbildes. Das war einer, der im sechsten Jahrhundert vor Christus gelebt hatte und nun in aller Seelenruhe in einem Schaufenster hockte, und zwar in einer Welt, die es damals noch gar nicht gab. Plötzlich fühlte er, daß seine Aufmerksamkeit irgendwo anders hin abgesaugt wurde, und derartig stark, daß es schien, als werde ein Naturgesetz wirksam, das seinen armseligen Körper zwang, sich von dem Erleuchteten abzuwenden und mit einigen bleiernen Schritten zum nächsten Schaufenster zu gehen, wo ein kleiner, fernöstlich anmutender, magerer Mann weltverloren nach drinnen starrte.

Sowohl dieser Mann als auch der Gegenstand, den er betrachtete, sollte in seinem Leben eine Rolle spielen. Da aber das eine ohne das andere niemals mehr denkbar sein würde, kam er zu der Auffassung, die Schale – denn diese betrachteten sie zu jenem bedeutungsvollen Zeitpunkt gemeinsam – habe ihn auf dem Wege über den Mann zu sich hingezogen. Die Schale stand ganz allein in der Vitrine, deren Boden mit Seide in einer unbestimmten Grünfärbung ausgeschlagen war. Auch die kleine Erhöhung, auf der die Schale stand, war grün, ebenso wie der Hintergrund und die seitlichen Wandungen.

Eine schwarze Schale. Aber damit war noch gar nichts gesagt.

Manche Dinge drücken Ruhe aus, andere wiederum sind mächtig.

Doch es steht nicht immer fest, worauf diese Macht beruht. Auf Schönheit vielleicht, aber dieses Wort hat eine ätherische Begriffsschattierung, die zur Macht im Widerspruch zu stehen scheint. Vollkommenheit, aber diese beschwört, möglicherweise zu Unrecht, die Vorstellung von Symmetrie und Logik herauf, die nun gerade hier fehlten. Es war also eine Schale, und diese war naturgemäß rund, doch konnte man gewiß nicht sagen, daß sie eine vollendete Rundung besaß. Sie war auch nicht überall gleich hoch. Die Wandungen – nein, so konnte man das nicht sagen, – die Innen- und Außenseiten glänzten, hatten aber etwas Rauhes an sich. Hätte sie irgendwo anders oder zwischen mehreren anderen Gegenständen gestanden, hätte man sie vielleicht für das Werk eines nicht unbegabten dänischen Töpfers halten können, doch davon konnte in dieser unumschränkten Machtposition nicht die Rede sein. Sie stand da auf ihrer Erhöhung, schwarz, leicht glänzend, rauh, auf einem Fuß, der für ihr Poids, was natürliches Gewicht bedeutet, allem Anschein nach zu schmal war. Hätte man »Gewicht« sagen wollen, wäre damit auch wieder nicht das Richtige ausgedrückt. Sie stand da und existierte. Das war nur Semantik, aber wie sollte man es anders sagen? Daß sie lebte? Auch schon wieder ein Armutszeugnis. Bestenfalls hätte man vielleicht noch sagen können, daß dieser Topf, diese Schale – oder wie man diesen einsamen Gegenstand dort hätte nennen wollen – so aussah, als sei er oder sie spontan entstanden, nicht von Menschenhand geschaffen. Diese Schale war buchstäblich sui generis. Sie hatte sich selbst erschaffen. Sie herrschte über sich selbst und über diejenigen, die sie betrachteten. Man hätte vor dieser Schale ohne weiteres Angst bekommen können.

Inni hatte das Gefühl, als wolle der Mann neben ihm etwas zu ihm sagen. Das oder gerade die Vorstellung, er könne den Mann in seiner Trance stören, veranlaßte Inni, in das Geschäft hineinzugehen. Eine kleine Treppe führte hinauf in den Verkaufsraum. Hier war er in Asien oder, besser gesagt, in einer wesenlosen, erhabenen Abstraktion Asiens. Der völlige Gegensatz dazu war der hochgewachsene Mann, der auf ihn zutrat, denn er hatte den wenigen, aber äußerst raffiniert aufgestellten Dingen den Schein alltäglicher Wirklichkeit vermittelt, wodurch es ganz plausibel wurde, daß sie auch verkauft werden konnten. Zum erstenmal begriff Inni, wie merkwürdig doch der Beruf des Kunsthändlers ist.

»Herr Wintrop«, sagte der Mann, »ich habe schon von Ihnen gehört. Bernard Roozenboom hat eben angerufen.«

Und eine perfekte Beschreibung gegeben, dachte Inni. Wie mochte Bernard ihn wohl beschrieben haben? Man sollte doch mal fragen. Das sah Bernard ähnlich, einfach anzurufen. Nie würde er erfahren, ob Bernard das getan hatte, um ihm zu helfen oder um einen Teil des Gewinns einzustreichen, wenn er vielleicht doch auf etwas Besonderes gestoßen war.

»Es scheint, als würden Sie ab und zu ganz hübsche Entdeckungen machen.«

»Ich hab vielleicht ein einziges Mal Glück gehabt«, entgegnete Inni, »aber auf Ihrem Fachgebiet bin ich blind und taub. Sie können mich ruhig auslachen.«

Er legte das Einschlagpapier zusammen und überreichte dem Mann den Stich. Dieser betrachtete ihn eine Weile schweigend und legte ihn dann auf den Tisch.

»Auslachen werde ich Sie gewiß nicht. Sie haben sich in unmittelbarer Nähe des Großen befunden. Das hier ist ein Stich, ein Holzdruck, den Sie der Zeit des Ukyo-e zuordnen können. Ich weiß nicht, ob Ihnen dieser Begriff etwas sagt. Das fließende Leben, ein Begriff der japanischen Kunstgeschichte. Wenn Sie wollen, erkläre ich es Ihnen noch etwas näher. Aber der Mann, der das hier gemacht hat, ist gewiß keiner von den Großen, wie beispielsweise Utamaro. Wenn das so wäre, und Sie hätten ihn, sagen wir mal, »per Zufall« und somit für wenig Geld gekauft – aber ehrlich gesagt, das ist eigentlich völlig unmöglich, obwohl man ja nie wissen kann, – dann hätten Sie sich für eine ganz beträchtliche Dauer in größtem Luxus auf Capri niederlassen können.«

Ausgerechnet Capri! Aber lassen wir das.

»Und was ist es tatsächlich?«

Riezenkamp hing eine Weile mit einem sehr großen weißen Gesicht über dem Stich, als wolle er die darauf abgebildete Frauengestalt kahlfressen. Seine Augen wanderten von rechts nach links, von oben nach unten.

»Es ist eine hübsche Sache, aber sehr derb. Ich hoffe, Sie haben dafür nicht viel bezahlt?«

»Wenig.«

»Das ist gut. Sehen Sie, ich will Ihnen mal den Unterschied zeigen.«

Er verschwand und kam mit einem großen Buch zurück. (Wieviel Bücher habe ich heute schon gesehen?)

»Das hier ist ein sehr berühmter Stich von Utamaro. Selbst wenn Sie nicht geschult sind in der Betrachtung derartiger Dinge, muß doch dabei etwas in Ihnen vorgehen.«

Es war ein Frauenporträt. Riezenkamps Hand machte einige skizzierende Bewegungen und ruhte dann still am Seitenrand.

»Wenn Sie das zum erstenmal bewußt betrachten, werden Sie wenig Anknüpfungspunkte finden. Zu den Dingen, die zu betrachten Sie gewöhnt sind, meine ich.«

Das stimmte. Auf der großen, hellgefärbten Fläche des Gesichts waren keine Schatten, keine Nuancierungen erkennbar. Sinnlich war es ganz gewiß, aber weit weg, außer Reichweite. Der außerordentlich kleine Mund war ein wenig geöffnet. Die Augen ohne Wimpern

waren ebenfalls sehr klein und schienen nichts auszudrücken, die Nase war eine einzige gekrümmte Linie.
Ohne jegliche Farbabstufung verlief die Gesichtsfläche
bis zum Dekolleté, das nur mit einem winzigen Strich
die schwellende Form der rechten Brust andeutete,
merkwürdigerweise links unten auf dem Stich. Die
Art, wie sich der grüne Kimono an der linken Schulter
nach vorn und in die Höhe wölbte, erschien ihm
unlogisch – aber das traf ja auch auf die seltsame
rückwärtige Schwellung am Schleier der Sibylle zu, nur
daß es dort unbeholfen aussah, hier aber eine undeut-
bare, doch dramatische Kraft besaß.
»Was bedeuten diese Zeichen links oben?«
»Das ist der Name der Kurtisane und der Name ihres
Bordells.«
Er schaute noch einmal hin. Das einzig Geile an diesem
Stich war die winzige Brustlinie. Das Gesicht blieb
abstrakt. Es gab keinen Grund, dieses Gesicht zu
berühren. Vielleicht durfte man das nicht einmal.
Amsterdamer Huren durfte man ja auch nicht küssen.
Doch Geishas waren keine Huren.
»Und das darunter?«
»Das Siegel des Herausgebers und der Name des
Künstlers.«
»Wenn Sie«, sagte die Stimme, die sich jetzt über ihm
befand und einen merkwürdigen, niederländisch-vor-
nehmen Klang hatte – einen Klang, der ein Hoheitsgebiet abschirmte und daher auch allem Fernöstlichen
weit entrückt schien, – »wenn Sie die Farbflächen nur
als Farbflächen betrachten, werden Sie merken, wie
raffiniert die Komposition ist. Sehen Sie, diese hohe,
gewölbte und glänzende schwarze Haartracht... Es

erscheint alles so einfach, aber so ist es natürlich nicht. Ihr Stich...«, die Stimme zögerte, – »Ihr Stich ist hübsch. Er war für jene Zeit ein alltägliches Erzeugnis, und er stammt wahrscheinlich aus diesem oder jenem Buch, rundweg aus einem Fremdenführer für das horizontale Gewerbe, um es mal so zu sagen. Haha ... er ist übrigens ein bißchen später entstanden als dieser hier ... aber für uns besitzt er nun einmal den Vorzug des Exotischen. Möchten Sie etwas trinken?«

»Gern.«

Er richtete sich aus seiner gebeugten Haltung auf und blickte dem Mann, der noch immer vor dem Schaufenster stand, unverwandt in die Augen.

»Ein aufmerksamer Betrachter«, meinte er.

»Das können Sie mit Recht behaupten«, sagte Riezenkamp.

»Und nicht nur das. Er weiß auch genauestens Bescheid über alles. Mit so einem Mann als Kunden ließe sich schon leben. Aber die wirklichen Fanatiker haben kein Geld. Es klingt vielleicht ein bißchen seltsam aus meinem Mund, aber jetzt, wo die Kunst mehr denn je zum Investitionsobjekt wird, macht's keinen rechten Spaß mehr. Die falschen Leute kaufen die guten Sachen. Oder besser gesagt, lassen sie kaufen. Von dienstbaren Geistern mit hoher Fachausbildung, die vorher erst sich selbst verkauft haben.«

Er winkte, und der Mann dort draußen nickte.

»Mitunter kommt er auch mal herein. Ein eigenartiger Mensch, wenn man ihn nicht kennt, aber ich mag ihn ganz gern. Eines Tages wird er mir etwas abkaufen, dann aber etwas ganz Großartiges. Nicht daß das irgendwie von Bedeutung wäre...«

Die Stimme ebbte weg, weil in diesem Augenblick einige Japaner zusammen mit dem aufmerksamen Betrachter eintraten. Jetzt erst bemerkte Inni, wie fernöstlich dieser Mann aussah. Von den Japanern mit ihren sauberen Anzügen und ihren Schlipsen unterschied er sich lediglich durch die Kleidung: weiße Leinenhose, weißes Hemd ohne Kragen, bloße Füße in sehr anspruchslosen Sandalen. Die Japaner blieben an der Tür stehen und machten mehrere kleine Verbeugungen. Riezenkamp dienerte mit seiner langgezogenen Gestalt einen Gegengruß und verschwand mit ihnen in seinem Büro. Der Mann in Weiß ging völlig geräuschlos durch den Raum und blieb vor einem Wandschirm stehen. Dann sagte er plötzlich: »Ich habe gesehen, daß Sie sich für die Baku-Schale interessieren.«

Inni drehte sich um und sagte: »Nur für den Gegenstand als Gegenstand. Ich verstehe überhaupt nichts davon, und ich habe auch noch nie so etwas gesehen. Es ist so, als ginge eine Drohung davon aus.«

»Drohung?«

»Ja, das ist natürlich Unsinn. Ich spürte das, als ich es sagte, aber ich sagte nicht das, was ich meinte. Ich wollte eigentlich sagen: Macht.«

»Wenn Sie das hätten sagen wollen, hätten Sie es gesagt. Sie meinen natürlich genau das, was Sie sagten: Drohung.«

Sie gingen gemeinsam zum Schaufenster. Die Schale stand nun tiefer als sie, so daß sie hineinschauen konnten. Inni kam es vor, als blicke er in die Tiefe eines Auges oder in einen unendlich verkleinerten, tiefen schwarzen Pfuhl. Die Schale starrte zurück, hohl, schwarz glänzend, der Abgesandte eines Universums, in dem ein Uneingeweihter nichts zu suchen hatte.

»Kuroraku«, sagte der Mann neben ihm. Es klang wie eine Beschwörungsformel; als könne durch das Aussprechen dieser Worte die geheimnisvolle Kraft der Schale gezügelt werden.

Eine halbe Stunde später wußte er über die Raku-Töpferei mehr als er je hätte behalten können oder wollen, denn während die sanfte, ein wenig schleppende Stimme ihn mit Namen von Meistern und Schalen einnebelte, ihm ganze Töpferdynastien verabreichte, als gehe es um Könige entschwundener mythischer Reiche ... Raku IX. ... Raku X...., wußte er bereits, daß diese Kunst – nicht nur die Schalen, sondern auch die Kakemonos, die Buddhastandbilder, die Netsuke – ihm für immer wesensfremd bleiben würde, weil sie einer Kultur und einer Tradition entstammte, die nicht die seine war und auch nie die seine werden würde. Zum ersten Mal hatte er das Gefühl, für irgend etwas zu alt zu sein. Es war zwar ein Teil der Welt, in der auch er lebte, doch jeder dieser Gegenstände hatte einen Bedeutungsinhalt, der weit über die äußerliche Schönheit hinausreichte. Solange er nur hinzuschauen brauchte und dieses Hinschauen ausschließlich als ästhetische Erfahrung erleben konnte, ging es noch an, doch die Vorstellung, daß so viel Wissen für jeden einzelnen Gegenstand nötig war, stieß ihn ab. Hierfür würde er noch ein Leben brauchen, müßte er noch einmal geboren werden, denn seine einmalige Geburt hatte ihn durch Zeitpunkt und Ort ihres Geschehens von dieser Fremden Welt abgegrenzt. Es hatte ohne sein Zutun eine Wahl stattgefunden, und an diese mußte er sich nun schon halten. Bernard hatte recht. Es gab Dinge, die man ablehnen mußte, selbst wenn sie möglich waren. Jetzt, da er die Vierzig hinter sich hatte, würde er nicht mehr Pianist werden wollen, würde er auch nicht mehr Japanisch lernen, das wußte er mit Sicherheit, zugleich aber ließ diese Sicherheit ein kummervolles Gefühl in ihm aufkommen, ihm war, als mache das Leben jetzt endlich seine Einschränkungen geltend, als würde dadurch der Tod sichtbar: Es stimmte nicht, daß alles möglich war. Vielleicht war alles einmal möglich gewesen, doch jetzt war das nicht mehr so. Man war das, wofür man sich vielleicht unabsichtlich entschieden hatte. Und er war einer, der ein romanisches Giebelfeld wie einen Comic entziffern konnte, der wußte, welche Symbole zu jedem einzelnen Evangelisten gehören, der auf einem Renaissance-gemälde die mythologischen Anspielungen auf das griechische Altertum erkannte und der aus der christlichen Ikonographie wußte, welches Attribut jedem Heiligen zukam. »Und«, so sang er unhörbar auf Deutsch, während die didaktische Stimme neben ihm sprach, »das ist meine Welt, und sonst gar nichts.« Einmal hatte er in der Kathedrale von Toledo eine Gruppe Japaner gesehen, die den Reiseführer in der Hand, den Leidensweg entlangzogen. Wie eine kleine Herde scharten sie sich bei jeder Leidensstation um ihre Führerin. Das einzige, was noch fehlte, war der Herdenhund, der sie in die Waden gebissen hätte, wenn sie hätten zurückbleiben wollen. Doch sie blieben nicht zurück. Sie lauschten aufmerksam dem ernsten, jungen Mädchen, das glucksend und gurgelnd die seltsamen Geschehnisse erläuterte, die sich mit dem masochistischen Sohn des grausamen abendländischen Gottes zugetragen hatten. Das erinnerte ihn an seinen Aufenthalt in Chieng Mai, Nord-Thailand, wo er ebenso hilflos, ein Buch in der Hand, von Tempel zu Tempel irrte. Bücher lügen nicht, und er hatte die Fakten, die Jahreszahlen und die Baustile tief in sein Hirn einsickern lassen, ohne jedoch das penetrante Gefühl der Ohnmacht loszuwerden, – weil er einfach nicht erkennen konnte, warum das eine Bauwerk soundsoviel älter war als das andere, weil er die Zeichen nicht lesen konnte und letztlich, weil er nicht als Thai geboren worden war und gerade die Nuancen, die allem erst den rechten Geschmack verleihen, ihm deshalb verborgen blieben, weil das alles, ganz einfach gesagt, nicht ihm angehörte. Selbst in der kolonialen Kathedrale von Lima hatte er sich heimischer gefühlt als dort, und er beschloß, alles wie glitzernden Tand an sich vorbeirauschen zu lassen, und damit basta. Man hatte eben kein tausendfältiges Leben, man hatte nur ein einziges.

Die Stimme neben ihm sagte, Raku IX. sei der Adoptivsohn von Raku VII. und ein viel größerer Töpfer als dessen Bruder, Raku VIII., gewesen. Aber Inni hörte schon lange nicht mehr zu. Er sah, daß Riezenkamp die Japaner hinausgeleitete und ihnen hinter der Türverglasung nachschaute. Die Gruppe ging bis zur Brücke und stand dann gestikulierend im grellen Sonnenlicht, wie ein Satz Wajangfiguren. Dann drehte sich eine dieser Figuren um, wurde wieder ein Mensch und ging rasch auf das Geschäft zu. Riezenkamp eilte in sein Büro zurück und kam erst eine ganze Weile, nachdem die Türglocke geläutet hatte, wieder heraus.

Das Gespräch dauerte diesmal nicht so lange. Die Stimme neben ihm, die soeben mit einer Abhandlung über die Teezeremonie begonnen hatte, geriet ins Stokken, denn das ungleiche Duo, der Kunsthändler und sein Kunde, Riese und Zwerg, bewegte sich auf das Schaufenster zu, in dem die Schale stand. Das Gesicht beider zeigte den Ausdruck, den Inni so gut kannte und der nur eines bedeuten konnte: Beide Parteien waren sich über den Gegenstand handelseinig geworden, mit dem sie doch so entgegengesetzte Zielstellungen verfolgten. Beide würden etwas in Empfang nehmen: der Japaner die Schale und der Händler das Geld. Verfeinerte Bildung und Gesittung dämpfte die Gier, die sie empfinden mußten. Was nun kam, glich eher einer Weihehandlung als irgend etwas anderem. Mit einem kleinen Schlüssel öffnete Riezenkamp das Schaufenster wie einen Tabernakel. Jetzt muß etwas Fürchterliches geschehen, dachte Inni, so eine Schale läßt sich nicht ungestraft wegnehmen. Er sah, daß das Gesicht des Mannes neben ihm unter dem Braun grau geworden war. Die dunklen Augen verfolgten die großen weißen Hände des Kunsthändlers, die die Schale umfaßten und aus der Vitrine hoben. Einen Augenblick lang glaubte Inni, der Mann würde etwas sagen, doch die starren, weißgepreßten Lippen, umgeben von etwas, was einer japanischen Maske glich, blieben geschlossen. Was aber drückte das aus? Haß, das war gewiß, zugleich aber auch Schwäche, hervorgerufen durch unermeßlichen Kummer. Das ist einer, dachte er, der sich schon lange keinen Kummer mehr um Menschen macht, einer, der allen Kummer, der ihn bedrückt, in diese schwarze Schale gefüllt hat. Der

Japaner nahm sie entgegen. Diese Hände paßten viel eher dazu. Behutsam stellte er sie vor sich hin, verbeugte sich, saugte den Mund schnell und zischend voll Luft und sagte etwas mit langen, tiefen Kehllauten. Nun sah Inni die Schale erst richtig. Wie eine graue Milchstraße zog sich eine Bahn hellerer, rauher Punkte durch die tiefe Finsternis der schwarzen Innenseite. Wer würde es wagen, daraus zu trinken? Die Deckenleuchte, die genau über ihnen hing, spiegelte sich im Boden der Schale, doch es schien, als wolle diese das Licht, das ihr so reichlich zugeführt wurde, nicht zurückgeben, als halte sie es in der tiefschwarzen Erde, aus der sie gemacht war, habgierig fest. Zum zweiten Mal an diesem Tage dachte Inni an den Boden, in dem er die Taube begraben hatte, und jetzt hatte sich Unheil in diesen so hellen Tag gemischt, Unheil, das etwas zu tun hatte mit dem reglosen Mann neben ihm, mit dem bereits ebenso starren Blick des japanischen Käufers und mit all den schweigenden, verschlossenen Gegenständen um ihn herum.

»Ja, Herr Taads«, sagte der Kunsthändler plötzlich, »es tut mir leid, aber das ist nun mal nicht anders. The rules of the game. Aber Sie wissen es ja genausogut wie ich, es gibt noch mehr Raku-Schalen.«

Mit einer Geste bat er den Japaner in das Büro. Der Mann nahm die Schale auf und folgte ihm langsam und feierlich.

»Taads«, sagte Inni. »Ich habe jemanden gekannt, der so hieß. Aber das kann...« Er bezwang sich. Er konnte doch schlecht sagen: »Aber das war ein Weißer.«

Dieser Taads sah ihn lange schweigend an.

»Ich habe keine Verwandten«, entgegnete er schließlich. »Ich kenne keine anderen Taads. Der einzige Taads, den ich gekannt habe, war mein Vater, und der ist tot. Er hat mal ein Buch über die Berge geschrieben. Ich habe es nicht gelesen.«

»Arnold Taads?«

»Ja, das ist mein Vater. Nicht, daß das für ihn viel bedeutete. Haben Sie ihn denn gekannt?«

»Ja.«

»Hat er jemals von mir gesprochen? Ich heiße Philip.«

»Nein, er hat mir nie erzählt, daß er einen Sohn hat. Allerdings erzählte er, daß er eine Frau hatte.«

»Die hatte er, ja. Er hat meine Mutter zu Tode geärgert. Er hat sie verlassen, als ich noch ganz jung war, und hat nie mehr etwas von sich hören lassen. Er war ein harter und egozentrischer Mann, soviel habe ich begriffen. Er hat meine Mutter aus Indonesien mitgebracht. Davon hat er Ihnen sicher nie etwas erzählt? Meine Mutter hat er mitgebracht und seinen Parong. Behalten hat er nur den Parong.«

Er drehte sich um, als wolle er damit zu verstehen geben, daß das Thema für ihn erschöpft sei, und starrte auf den leeren Fleck, wo die Schale gestanden hatte.

»Erst haben sie die Schale verschleudert, und jetzt kommen sie und holen sie zurück.«

Er sagte das mit Bitterkeit, und der schleppende Ton verschwand für einen Augenblick aus seiner Stimme.

»Kommen Sie, wir wollen weg von hier.«

»Wollten Sie denn die Schale kaufen?«

»Ja. Aber ich habe kein Geld. Für diese Schale müßte ich jahrelang sparen.«

Der neue Taads, der in sein Leben getreten war, ging

hinaus. Inni folgte ihm. Jetzt laufe ich, dachte er, wieder hinter einem Taads her. Erst später bemerkte er, daß er vergessen hatte, sich von dem Kunsthändler zu verabschieden, und daß er den Stich hatte liegenlassen. Das fließende Leben.

»Möchten Sie etwas trinken?« fragte er.

»Ich hasse Kneipen.« Und nach einigen Augenblicken: »Sie müssen mir mal erzählen, wie Sie meinen Vater kennengelernt haben.«

»Das ist eine lange Geschichte.«

»Wenn Sie wollen, können Sie die bei mir zu Hause erzählen. Ich wohne in De Pijp. Das ist nicht weit.«

»Gern.«

Sie kamen am Rijksmuseum vorbei, das unter seinen hohen Dächern wie ein Schatzkästlein aus Backstein vor sich hin glänzte, und spazierten am schaukelnden und glitzernden Wasser der Ruysdaelkade entlang. Enten und Möwen, Quaken und Kichern.

4

Das Universum des Philip Taads war mindestens ebenso eigensinnig wie das des Vaters. Nichts, was dorthin führte, ließ einen vermuten, wo man landen würde. Und der Gegensatz zur Verschlampung des Stadtviertels De Pijp, die sich in jenen Jahren bereits – als Vorbote der Abtakelung, die später die ganze Stadt erfassen sollte – wie ein unersättlicher Schimmelpilz durch die im neunzehnten Jahrhundert erbauten Straßen fraß, war im wahrsten Sinne des Wortes atemberaubend. Im Gefolge dieses kleinen Mannes, der ebensowenig wie sein Vater auf oder um sich schaute, irrte Inni durch die halbverfaulten Autowracks, die bösartig glänzenden Müllkübel und die zweireihig geparkten Lieferwagen auf eine farblose, verlorene Tür zu, hinter der sich eine steile, finstere Treppe befand. Die höhergelegenen Stufen waren von unten nicht zu sehen. Inni war zumute, als hätte er eine Pilgerfahrt angetreten, seinen Bußgang, der mit Arnold Taads und seiner eigenen Vergangenheit alles und mit diesem schweigenden, abgemagerten Ostasiaten und seinem einwärts gekehrten Mönchskopf nichts zu tun hatte.
Der Raum, den sie schließlich betraten, war sehr hell und schien auf den ersten Blick völlig leer zu sein. Da war alles weiß, da war man, der Welt entrückt, in einer öden und kalten Gebirgslandschaft oder, besser gesagt, schon wieder in einem Kloster, hoch in den Bergen.

Von den Niederlanden konnte hier auf keinen Fall die Rede sein. Ein paar weiße, herabhängende Portieren, hinter denen nichts zu sehen war, ein niedriges Holzbett, fast ein Brett, das mit einem Laken überdeckt war und daher mehr einer Bahre glich. Es war klar: Auch dieser Taads lebte allein. Hier war nicht einmal ein Hund, der Raum und Stille stören konnte. Es roch kaum wahrnehmbar nach Weihrauch. Philip Taads deutete auf ein Kissen, das mitten im Raum lag, und setzte sich selbst nach ostasiatischer Art auf das gegenüberliegende Kissen. Inni ging mit Mühe zu Boden und versuchte, eine einigermaßen ostasiatische Pose einzunehmen, brachte es letztlich aber doch nur fertig, halb liegend das Kinn abzustützen, eine paschahafte Haltung, die, wie er später zu seiner Freude sehen sollte, auch der Erleuchtete mitunter eingenommen hatte. Auch dieser Taads hatte einen strengen Blick, doch Inni war mittlerweile schon zu alt geworden, als daß er sich von einem Taads, ob nun tot oder lebendig, hätte schurigeln lassen.

Väter und Söhne. Da Philip Taads keinen Ton von sich gab, sondern sich – vielleicht nach dem Rhythmus eines sich wiederholenden Meditationsgebets – leicht hin und her wiegte, konnte Inni seinen Gedanken nachhängen. In einer einzigen Beziehung hatte dieser Sohn offensichtlich nichts mit seinem Vater gemein, denn der Uhrenschlag führte keine merkliche Veränderung seines Zustands herbei. Zeit spielte hier also keine Rolle. Inni fragte sich, was er jetzt eigentlich empfand. So etwas wie einen quengligen Widerwillen, das war noch die beste Umschreibung. Es gibt Dinge, die nicht wiederholt werden dürfen, und es ging nicht an, daß sich dieser meditierende Ostasiat wie eine Wolke vor die Erinnerung an seinen Vater schob. Wie seltsam, dachte Inni, daß Erinnerungen die einzigen Sicherheiten sind, über die man verfügt. Wer an denen herumbastelt, gilt als Eindringling. Nun war er gezwungen, in die Vergangenheit hinabzusteigen, sie leider Gottes einer zweiten Durchsicht zu unterziehen. Seine Tante, Petra, der Hund, – es öffneten sich alle möglichen Türen, die besser geschlossen geblieben wären. Was dort lag, war wohlgeordnet, und das reichte. Ein Teil des Älterwerdens besteht darin, daß man sich weigert, neue Erinnerungen anzulegen.

»Mein Vater verachtete mich«, sagte Philip Taads.

»Er kann Sie doch kaum gekannt haben.«

»Er wollte mich nicht kennen. Er konnte es nicht verwinden, daß er auf Erden eine Spur hinterlassen würde. Dieser Gedanke leuchtet mir immerhin ein, aber als ich noch ein Kind war, war das nicht schön. Er wollte mich nie sehen. Er leugnete mein Dasein. Sie wollten mir noch erzählen, wie Sie ihn kennenlernten.«

Inni erzählte es.

»Er hat für Sie besser gesorgt als für mich.«

»Es war nicht sein eigenes Geld. Er brauchte nicht viel dafür zu tun.«

»Das klingt, als ob Sie ihn gern hatten.«

»So ist es.«

Stimmte das denn eigentlich? Er hatte Arnold Taads eher als jemanden betrachtet, auf den derartige Kategorien nicht anwendbar waren, als eine Naturerscheinung, als etwas, was einfach so ist, wie es ist. Es irritierte ihn, daß er nun gezwungen war, nachträglich eine Qualifikation abzugeben. Diese Begegnung hier war nutzlos. Er hatte das schon einmal mitgemacht, oder nein, jemand anderer, der er vor sehr langer Zeit gewesen war, hatte das alles mitgemacht und ihm davon erzählt. Dieser Taads war auch verrückt, und mit ihm würde es ebenfalls ein schlimmes Ende nehmen.

»Sind Sie viel in Asien gewesen?« fragte er.

»Wieso?«

»Hier mutet alles ein wenig ... japanisch an.«

»Ich bin nie in Japan gewesen. Das heutige Japan ist vulgär. Wir haben es verseucht. Das würde meinen Traum stören.«

Seinen Traum. Nur weiter so. Dieser Taads hier scheute keine großen Worte. Aber vielleicht war *das* ein Traum. Die Umgebung sah ganz danach aus. Das Zimmer, das sein Dasein verlor, sobald man die Augen auftat, die Worte, die aus diesem Ebenbild eines Mönchs träge hervorquollen, die dunklen Augen, die sich unverwandt auf ihn richteten, als müßten sie ihn aufrecht halten.

Warum machen Väter Söhne? Bei diesem Sohn also keine kurzen, verbissenen Sätze, keine Medaillen, die durch das Hinabsausen an verschneiten Hängen verdient werden mußten, eher die Verkehrung all dessen in Trägheit und Leere, und doch unverkennbar die gleiche Abkapselung, die gleiche Ablehnung.

»Soll ich Tee machen?«

»Gern.«

Nachdem der andere wie ein geräuschloser Schatten hinter seinen Portieren verschwunden war, stand Inni erleichtert auf und ging mehr oder minder auf Zehenspitzen durch das Zimmer, in dem immer mehr Gegenstände aufzutauchen schienen. Oder waren die paar Bücher und Ansichtskarten während der Unterhaltung unhörbar und unsichtbar hereingekommen, um am Fußboden, an der Wandleiste, – ebenso unhörbar und unsichtbar – ihren Platz einzunehmen? Es kam ihm rätselhaft vor, ebenso merkwürdig wie die Abbildungen auf den Karten selbst.

Eine geharkte Fläche aus kiesartigem Schotter, – nicht einmal in der Mitte drei verwitterte Steine ungleicher Größe – auf einer Insel, die allem Anschein nach aus Moos bestand. Er erinnerte sich, schon früher in Büchern über Japan solche Abbildungen gesehen zu haben, aber wirklich gesehen hatte er sie nicht. Auf dem Fußboden kniend starrte er auf die geheimnisvolle Abbildung, die – wie wußte er nicht – anscheinend von diesem Zimmer widergespiegelt wurde, als sei auch dieses Bett kein Gegenstand, auf dem man schlief, sondern eher so etwas wie diese Steine, etwas, was jeden Ausdruck annahm, den man ihm zuordnete. Eigentlich, dachte Inni, würde dieses Zimmer, ebenso wie die Schotterfläche mit den drei Steinen, noch am besten zur Geltung kommen, wenn sich niemand darin aufhielt, auch nicht der Bewohner, und wenn niemand da war, um es zu betrachten. Diese Fläche oder dieser Garten, wie man es auch nennen mochte, konnte wie das Weltall für sich selbst bestehen, ohne Bewohner oder Zuschauer. Er erschauerte und stellte die Karte wieder an ihren Platz. Doch damit war er noch nicht von diesem Zimmer erlöst. Auf den anderen Karten waren richtige Gärten abgebildet, mit richtigen Büschen, die allerdings zu unwirklichen euklidischen

Formen zusammengestutzt waren, grauenerregend in ihrer Vollkommenheit, Rasenflächen, die anscheinend mit der Zunge glattgeleckt worden waren, und blutrote Herbstbäume wie Skulpturen. Herbst! Das war doch immerhin ein Wort, das einen gewissen Zeitbegriff wachrufen mußte. Doch Zeit war nun gerade das Element, das auf diesen Fotografien völlig fehlte. Eine Tagereise weiter, in einer anderen Ecke des Zimmers, lag ein Buch mit japanischen Schriftzeichen und dem Porträt eines alten Mannes. Als er es aufhob, kam sein Gastgeber herein.

»Das ist Kawabata«, sagte er, »ein japanischer Schriftsteller.«

»Aha.«

Inni betrachtete das Porträt, das Bildnis eines alten Mannes. Aber war das nun ein alter Mann, der jung war, oder ein junger Mann, der alt war? Von der außerordentlich hohen Stirn wellte sich silberglänzendes Haar nach hinten. Der zerbrechliche Leib war in ein dunkles, traditionelles Gewand gehüllt. Als er das Buch von hinten aufblätterte, sah er den gleichen Mann wieder, diesmal aber in voller Größe bei der Entgegennahme dessen, was der Nobelpreis sein mußte, weil nämlich vor ihm der alte schwedische König stand, der seine dünnen, applaudierenden Altmännerhände ganz besonders weit nach vorn und nach oben hielt, nach der Art wohlgesitteter und gebildeter Nordländer, die ausdrücken möchten, daß ihre Begeisterung wirklich echt ist. Hier konnte man, weil der Schriftsteller von der Seite aufgenommen worden war, erst richtig sehen, wie unendlich klein und fein seine Gestalt war. Er stand vornübergebeugt in weißen Socken und seltsamen Sandalen da und hielt den Gegenstand, den er soeben entgegengenommen hatte, krampfhaft fest. Über einem langen grünen Gewand trug er einen Mantel, der bis zu den Knien reichte. Inni wußte nicht, ob es ein Kimono war. Und wieder fiel ihm auf, wie hoch sich das Haar aus dem kleinen, in sich gekehrten Gesicht emporwellte. Die Prinzen und Prinzessinnen, die vor ihm und durch die Höhe des Ehrensockels zum Teil auch niedriger standen als er, hatten auf ihren breiten Gesichtern einen Ausdruck, der sich noch am besten als eine ängstliche Abart der Verblüffung beschreiben ließ.

Philip Taads hatte sich wieder auf dem Fußboden niedergelassen. So mußte man das schon nennen, diese seltsame Art, auf die er seinen Körper zusammenklappte und in einer stillen, geraden Gleitbewegung durch sich selbst hindurchsackte, wobei er das lakkierte Tablett, auf dem zwei Schalen mit grünem Tee standen, in der gleichen Bewegung lautlos auf die Rohrmatte niedersetzte.

Sein Gastgeber trank. Inni betrachtete ihn durch die Augenwimpern. Auch dieses Gesicht war verschlossen, aber es war nicht der ferne Osten, der die Vorhänge heruntergelassen hatte. Hier hatte er es mit jemandem zu tun, der völlig in sich selbst lebte. Die Vorstellung von diesem Mann in diesem Zimmer kam ihm unheimlich vor. Er wünschte, er wäre nicht mitgegangen. Sie tranken schweigend.

»Was machst du eigentlich so?« fragte Inni schließlich. Wenn sich Menschen auf Kissen gegenübersitzen, muß das »Sie« abgeschafft werden. Außerdem waren sie, wie ihm schien, gleichaltrig.

»Um ans Geld zu kommen, meinst du?« Es klang wie ein Vorwurf.

»Ja.«

»Ich bin bei einer Handelsfirma. Auslandskorrespondenz, drei Tage in der Woche. Spanische Geschäftsbriefe. Die glauben, daß ich verrückt bin, aber sie lassen mich doch machen, was ich will, denn ich bin gut.«

Spanisch. Inni schaute dieses Gesicht an, doch was er suchte, fand er nicht. Javanische Dorfbewohner hatten die Erinnerung an Arnold Taads vertrieben, und dieser Philip hatte sich den Kopf kahlgeschoren wie ein Mönch, so daß alles, was sich an Form in diesem Gesicht befand, doppelt so stark zum Ausdruck kam. Wer sich den Kopf kahl schert, beraubt sich der Milderung, die von der Haartracht ausgeht: Nase, Mund, Emotionen, – alles wird gnadenlos zur Schau gestellt. Aber in dem Gesicht dieses Taads stand alles unter Verschluß.

»Du lebst allein?«

»Ja.«

»Und sonst?«

»Sonst? Nichts. Durch die paar Tage Arbeit verdiene ich genug, um mich am Leben zu erhalten. Und das tue ich hier.«

»Du bist immer hier?«

»Ja.«

»Stabilitas loci.«

»Ich habe dich nicht verstanden.«

»Stabilitas loci, das ist eine der Grundregeln bei den kontemplativen Orden. Man bleibt an dem selben Ort, wo man eintritt.«

»Hm. Gar nicht so übel. Warum hast du daran gedacht?«

»Das macht hier bei dir so ein bißchen den Eindruck eines Klosters.«

»Und das findest du lächerlich?«

»Nein.«

Aber beängstigend schon, dachte er, doch er sagte es nicht.

»Ich habe draußen...«, dieses Wort wurde mit Verachtung ausgesprochen, »...nichts verloren.«

»Aber hier?«

»Mich selbst.«

Inni stöhnte unhörbar. Die siebziger Jahre. Kaum hatten sie die Kirchentür hinter sich zugeschlagen, da krochen sie schon wie die Bettler irgendeinem Guru oder Swami zu Füßen. Endlich waren sie allein in einem schönen, leeren Universum, das über seine selbstgemachten Schienen rasselte wie ein Zug ohne Lokomotivführer, und aus allen Fenstern schrie man um Hilfe.

»Ich bereite mich auf etwas vor.«

»Worauf?«

»Auf meine Erlösung.«

Keine Sekunde des Zögerns. »Mein Traum.« »Meine Erlösung.« Zum erstenmal fragte sich Inni, ob dieser Mann da vor ihm nicht sinnlos verrückt war. Aber er zog ein Gesicht, als sei es völlig selbstverständlich, daß sich Menschen derartige Dinge erzählen, wenn sie sich noch nicht einmal eine Stunde kennen, und vielleicht war es auch an dem. Er war schließlich ein Taads, und jeder Taads gebrauchte mit der größten Unbefangenheit – und davon konnte er ein Liedchen singen –

Wörter, die andere Menschen liebend gern vermieden. Sie lebten einen Meter über dem Boden, wo diese Wörter ihren natürlichen Lebensraum hatten. Vielleicht konnten sie auch fliegen.

»Erlösung ist ein katholischer Begriff«, sagte Inni.

»Aber nicht so, wie ich ihn gebrauche. Bei den Katholiken ist es ein anderer, der einen erlöst. Man kann der Erlösung teilhaftig werden. Aber das bedeutet für mich nichts. Ich erlöse mich selbst.«

»Wovon?«

»Erst einmal von der Welt. Das ging besser als ich dachte. Es ist nicht schwer. Und dann von mir selbst.«

»Warum?«

»Das Leben ist mir lästig. Es ist nicht nötig.«

»Dann mußt du Selbstmord begehen.«

Taads antwortete eine Zeitlang nicht. Dann sagte er leise: »Ich will's loswerden, dieses Ding, das ich selber bin.«

»Ding?«

Inni nahm einen Schluck von dem Tee, der einen nachhaltigen, bitteren Geschmack hatte. Es schien, als werde immer noch mehr Stille in diesem Zimmer gespeichert.

»Dieses Ding, das ich selber bin, ist mir zuwider.«

Wie lange war es her, daß er den Vater dieses Mannes hatte sagen hören: »Ich bin mir selbst zuwider.« Es war unerträglich, daß der gleiche Gedanke von dem einen Mann durch eine Frau hindurch in einen anderen Mann gelangen konnte. Er wollte hinaus aus diesem Zimmer.

»Ich rede nie mit jemandem darüber«, sagte Philip Taads. Das war unmißverständlich eine Klage, doch war der Klagende schon weit außerhalb der Reichweite eines Trostspenders. »Du findest es vielleicht unangenehm, daß ich dich damit belästige?«

Derartige Dinge wären dem Arnold Taads nie in den Sinn gekommen. Es gab also doch einen Unterschied. »Nein«, sagte Inni mechanisch. Dies war seine erste Unterhaltung mit einem Ding, und er fühlte sich unauslöschlich besudelt. Er stützte den Kopf auf.

»Ich muß jetzt gehen«, sagte er.

Der andere antwortete nicht, sondern erhob sich, wieder mit einer einzigen Bewegung, so wie ein Bambusstengel, der herabgebogen wurde, in die Höhe schnellt. Das Ding, das er selber ist, beherrscht er auf jeden Fall perfekt, dachte Inni nicht ohne Neid, während er sich mühevoll hocharbeitete.

»Was ich eigentlich meinte, ist das: Ich finde es unerträglich, daß ich einen Körper brauche, um bestehen zu können«, sagte Taads.

Doch katholisch, dachte Inni. Der jämmerliche Leib als Hindernis auf dem Wege zum Heil, doch ehe er etwas erwidern konnte, fragte Philip Taads plötzlich: »Was war mein Vater eigentlich für einer?«

Ein Selbstmörder, wollte Inni sagen, aber stimmte das denn? Schließlich hatte Arnold Taads einen verschleierten Umweg zu dem erwünschten Unfall gewählt. Damit brauchte er den Sohn nicht zu belasten. Der hatte schon ein Erbe zu tragen. Zuviel und zuwenig Vater. Bah, Psychologie.

»Er war ein eigensinniger Mann, der sein eigenes Leben lebte. Ich glaube, daß er sehr einsam war, aber einen solchen Satz hätte er nie über die Lippen gebracht. Er hat viel für mich getan, aber nicht aus

Menschenliebe. Er liebte die Menschen nicht, zumindest sagte er das.«

»Dann haben wir auf jeden Fall doch etwas gemeinsam«, sagte Philip Taads. Es klang zufrieden.

Sie gingen zur Tür. Kurz bevor sie dort anlangten, öffnete Philip Taads in der Wand, die bis dahin den Eindruck eines geschlossenen Ganzen gemacht hatte, ein Schränkchen und holte ein Penguin-Taschenbuch heraus.

»Von Kawabata«, sagte er, »du brauchst bloß die zweite Geschichte zu lesen, »Thousand Cranes«, tausend Kraniche. Wenn du das Buch aus hast, kannst du es mir zurückschicken, oder auch zurückbringen, wenn du möchtest. Am Wochenende und montags und freitags bin ich immer zu Hause.«

Die Tür schloß sich geräuschlos hinter ihm. Jetzt mit einem Satz über den Treppenschlund springen und dann draußen sein, erlöst von dem Gefängnis, in dem sich jemand selbst folterte, auch wenn er das ›erlösen‹ nannte.

5

Das Wetter hatte sich seiner veränderten Stimmung angepaßt. In den Straßen war es diesig, und dadurch bekam die Stadt etwas Trübseliges. Die Leute gingen noch immer in sommerlicher Kleidung, doch das nun nicht mehr durchsichtige Licht drapierte die sommerlichen Gestalten mit einem Element von Melancholie. Wie immer, wenn eine Naturerscheinung in den täglichen Ablauf der Dinge eingriff, kam Inni der Gedanke, die Stadt brauche gar nicht da zu sein. Diese dunstige Luft habe doch nichts mit Autos und Häusern zu tun, sie muß eigentlich unmittelbar in die Weideflächen der Polder übergehen. Diesem Gedanken gesellte sich ein Gefühl der Angst hinzu, weil auf diese Weise die Wirklichkeit aus den Fugen geriet. Er liebte es nicht, wahrzunehmen, wie dünn alles war. Dieser Taads würde ihn vorerst nicht loslassen. Zweimal hatte er den Tod in diesen sonnigen Tag hineinbeschworen, zum einen durch das, was er sagte, zum anderen dadurch, daß er den Gedanken an seinen Vater aus der konturlosen Vergangenheit zurückrief.

»Die Wintrops lehnen es ab zu leiden.« Das hatte Arnold Taads gesagt, aber das war noch nicht vollständig genug. Der Wintrop, der er selbst war, lehnte es nicht nur ab zu leiden, sondern auch, mit dem Leiden anderer konfrontiert zu werden. Er hatte aus seinem Dasein eine unablässige Bewegung gemacht, denn so, das wußte er aus Erfahrung, entging man nötigenfalls den anderen am besten, – und letztlich auch sich selbst. Er ging in Richtung Vijzelstraat. Hinter dem Münzturm hervor, der leicht zu schwanken schien in der Hitze, die die schleierartige Atmosphäre durchflimmerte, zogen wie Heerscharen Gewitterwolken heran. Als er sich dem Wetering-Park näherte, hörte er lautes, skandierendes Klingeln und weinerlichen, stets wiederholten Gesang. Eine Gruppe in orangefarbene Kleider gehüllter und kahlgeschorener Mitglieder der Krishna-Sekte überquerte blökend und klingelnd den Zebrastreifen. Wankend und mit weißen, unrasierten Gesichtern, die sich weigerten, die Vorübergehenden anzuschauen, kamen sie auf ihn zu. Wie immer empfand er Haß. Menschen dürfen sich nicht so schamlos einem System ausliefern. Was er kaum eine halbe Stunde zuvor gedacht hatte, stieg noch heftiger wieder in ihm auf: Menschen können auf dieser Welt nicht allein sein. Kaum hatten sie den elenden Gott der Juden und Christen zu Grabe getragen, da zogen sie schon mit roten Fahnen oder in orangefarbenen Schlampenkleidern durch die Straßen. Offensichtlich konnte das Mittelalter kein Ende finden. Er dachte an Taads und daran, wie bequem der mit seinem ostasiatischen Gesicht doch hier mitmachen könnte. Aber das war ungerecht. Philip Taads erlebte seine Einmann-Religion – sofern das so etwas war – allein in seinem selbstgebauten Kloster. Ein Anachoret in der Wüstenei des Stadtviertels De Pijp. Inni erinnerte sich, daß er einmal mit seinem Freund, dem Schriftsteller, das Benediktinerkloster in Oosterhout besucht hatte. Der Schriftsteller, der nie sehr mitteilsam war, hatte sich stundenlang umgeschaut und dann einen alten Mönch gefragt, ob er denn noch nie hier heraus gewollt habe. Die Frage setzte den Alten nicht im geringsten in Erstaunen, und die Antwort kam sofort: »Zum letztenmal wollte ich das im Jahre 1929, als die Heizung ausgefallen war.«

Darüber hatten sie herzlich gelacht. Dann aber fragte der Mönch den Schriftsteller: »Und Sie? Das hier ist doch wohl nicht das erste Kloster, das Sie besuchen? Haben Sie denn nie da hinein gewollt?«

Auch diese Antwort war niederschmetternd einfach, und Inni hatte sich stets an sie erinnert.

»Mein Kloster ist die Welt«, hatte der Schriftsteller erwidert. Und darüber lachte dann der Mönch und erklärte, das verstehe er.

»Mein Kloster ist die Welt.« Aber Taads hatte aus sich selbst ein Kloster gemacht, – wie er selber sagte, mit dem einzigen Ziel, sich zu Tode zu meditieren. Abe das konnte wohl kaum auf irgendeiner ostasiatischen Lehre beruhen. Sobald Opfer geb acht werden mußten, war man doch schon wieder auf Golgatha angelangt, und dieser Taads konnte offenbar nicht erlöst werden, ohne jemanden zu schlachten, und wäre es er selbst.

»Unsinn, Prahlerei«, murmelte er, »wer da sagt, daß er etwas tut, tut es nicht.« Aber auch das schien jetzt nicht mehr zuzutreffen.

Als würde er an einem Seil fortgezerrt, so bog er in die Weteringdwarsstraat zur Spiegelgracht ein. Als er dort angekommen war, begriff er warum: Er hatte seinen Stich bei Riezenkamp liegen lassen. Zum zweitenmal an diesem Tage drang er in die weihevolle Stille der

Kunsthandlung ein. Keines der Buddha-Standbilder hatte sich unterdessen bewegt. Nichts und niemand hatte ihre ewigwährende Meditation gestört.

»Ach, Herr Wintrop«, sagte der Kunsthändler. »Ich wollte gerade unseren Freund Roozenboom anrufen. Aber da kommen Sie ja selbst. Ich wußte nicht, daß Sie Herrn Taads kennen.«

»Ich kannte seinen Vater.«

»Ach so.« Und nach einem vornehmen Zögern: »Jemand aus Indonesien?«

»Nein, aus Twente.«

»Aha, die Mutter also. Hm, seltsamer Mann, seltsamer Mann. Ich habe eine feste Vereinbarung mit ihm getroffen. Ich soll ihn stets benachrichtigen, wenn ich einen bemerkenswerten Chawan bekomme.«

»Chawan?«

»Teeschale. Und dann noch ganz genau festgelegt: nur Raku. Keine Shino, eine mit Ohren, obwohl auch da Prachtstücke dabei sein können. Nein, Raku muß es sein, nichts anderes, und dann am liebsten noch von Sonyu, das ist Raku VI. Sie wissen doch ... die großen Meister, ob nun Töpfer oder Kabuki-Schauspieler, marschieren, wenn man das so nennen kann, dynastienweise auf.«

»Taads hat mir schon eine Vorlesung gehalten.«

»Jaja. Die Schwierigkeit besteht darin, daß die großen Schalen der wirklichen Meister namentlich bekannt sind. Hier, sehen Sie«, er blätterte in einem Buch, das vor ihm lag, »von diesem Sonyu gibt es noch ein paar berühmte Schalen ... Komeki, Schildpatt, das ist Raku schwarz ... und dann gibt es noch Kuruma, das Wagenrad ... ein Prachtgegenstand, Raku rot ... das finde ich persönlich am schönsten ... Shigure, Frühlingsregen ... auch rot ... aber alles unbezahlbar, wenn sie überhaupt je käuflich sind. Für Taads müßte ich eigentlich auf eine weniger bekannte Schale eines dieser Herren hoffen ... aber nein, er hat die Zeit gegen sich. Die Kenner und die leidenschaftlichen Sammler werden von den investitionswütigen Geldleuten weggestänkert. Ich habe ihm vorgeschlagen, auf Abzahlung zu kaufen, denn ich vertraue ihm blindlings. Doch das wollte er nicht. ›Das widerspricht meinen Plänen.‹ Also wird's wohl noch eine Weile dauern. So hoch veranschlage ich ihn nämlich nicht – in puncto Einkommen.«

»Keine Ahnung. Wie haben Sie ihn kennengelernt?«

»Lachen Sie nicht, durch Joga.«

Joga. Es war in der Tat schwer, sich diesen langen, fleischigen Leib in Jogahaltung vorzustellen.

»Da stand doch mal eine ziemlich eigenartige Anzeige in der Zeitung. Und auf die haben wir alle beide geantwortet. Taads war da schon emsig mit Zen-Buddhismus beschäftigt und wußte von diesen Dingen viel mehr als ich. Ich dachte mehr in plebejischen Begriffen: körperliche Bewegung, Entspannung und so etwas. Kein Hokuspokus. Aber das hat mich dann doch wieder nicht gleichgültig gelassen. Der Lehrer war – für mich als holländischen Kalvinisten – ebenso eigenartig wie Taads ein südamerikanischer Jude mit einem Schuß Indianerblut. Ein sehr beeindruckender Mann.«

Es schien, als müsse der Kunsthändler einen leichten Schauer überwinden. Ein Schatten zog über sein Gesicht, und zweifellos setzte sich dieser auch auf dem weißen Körper unter dem Nadelstreifenanzug aus Kammgarn fort.

»Joga, wenn es gut ist, darf man nicht unterschätzen. Dieser Mann erzählte Gott sei Dank keine metaphysischen Geschichten. Er saß nur da, – eine Art Heiliger der letzten Tage, immer in schwarz, – und sprach sehr langsam zu uns. Er ließ uns einzelne Körperteile spannen und entspannen. Und er lehrte uns, wie man sie vergessen kann, wie man es dahin bringt, sie nicht mehr zu fühlen. Sie waren dann auch einfach nicht mehr da. Anfangs fand ich das herrlich. Es gab mir ein starkes Gefühl des Wohlbehagens. Auf Taads aber übte das eine ganz andere Wirkung aus. Der kriegte nach einer dieser Sitzungen einen Weinkrampf; als ob er sich auskotzen müßte, so schlimm war das. Ein anderes Mal konnte er seine Hände nicht mehr aus einem Krampf lösen. Ich dürfte Ihnen das vielleicht gar nicht erzählen, aber ich war sehr erschrocken darüber. Wenn das auf ihn solche Auswirkungen hat, dachte ich, was geht dann in dir selbst vor? Und wissen Sie, nach einer Weile wird es einem so langsam klar, daß man all das nicht von seinem weiteren Leben trennen kann. Macht man weiter damit, muß man sein Leben verändern, muß man jemand anderer werden, – falls das möglich ist. Ich meine, man braucht selbst keine Philosophie zu haben oder Anhänger irgendeiner Sache zu sein, aber allmählich verändert sich das eigene Wesen, zumindest habe ich es so empfunden. Man verändert sich, man bekommt einen anderen Standort in der Welt. Das ist nicht bloß so ein bißchen Gymnastik. Tja, und der eigene Standort in der Welt, das ist man ja selbst. Und das gilt ganz besonders für mich. Ich muß mich schließlich als Händler – ein vielgeschmähtes Gewerbe! – in der Welt bestätigen. Zu guter Letzt fragte ich mich, ob mir das nicht mehr schaden als nützen würde. Denn ich war schon ganz hübsch an mich selbst gewöhnt. Sehen Sie, und nun fing ich bereits an, mein Pilsener bei Hoppe als vulgär zu betrachten, um nur mal was ganz Kindisches anzuführen. Sagen wir's mal so: Das beanspruchte mehr, als ich im Hause hatte oder als ich beizusteuern bereit war. Und schließlich habe ich aufgehört damit.« Er strich sich kurz über die Augen und fuhr dann fort: »Ich sitze schon den ganzen Tag zwischen dem Erhabenen herum, auch wenn ich dazu in einer ziemlich perversen Verbindung stehe. Ganz platt gesagt, ich hatte nicht mehr den Mut dazu. Ich habe das dem Mann erklärt, und er verstand das. Er erzählte mir, er habe selbst schon zweimal aufgehört, weil er fürchtete, sich selbst zu verlieren. So drückte er es aus. Er wird wohl etwas anderes gemeint haben als ich. Das geht natürlich schrecklich weit, wenn man das als Beruf macht«, und wieder erschauerte er, »aber auf jeden Fall hat er gesagt, er verstehe es. Taads hat weitergemacht. Ob er es immer noch macht, weiß ich nicht. Vielleicht ist er jetzt genausoweit wie dieser Lehrer. Darüber spreche ich nie mit ihm, es ist uns peinlich, glaube ich. Er scheint mir jemand zu sein, der sehr weit geht, und ich meine, danach hat er sein ganzes Leben eingerichtet. Und doch gibt er sich sehr gezwungen, das finde ich so seltsam. In einer Kneipe sieht man ihn nie. Frauen, nie etwas gehört. Das erstemal, daß ich ihn überhaupt mal mit jemandem habe sprechen sehen, das war heute, mit Ihnen. Und diese Schalen, das hat natürlich auch damit zu tun. Das hängt mit der Teezeremonie zusammen und dadurch mit dem Zen-Buddhismus. Er lebt sein eigenes Japan, unser Freund. Was halten Sie davon?«

»Das alles sagt mir nicht sehr viel«, entgegnete Inni. »Außerordentliche Weisheiten des Fernen Ostens werden an den unglücklichen abendländischen Mittelstand verkauft. Vielleicht ist das aber besser als Heroin.« Auch nicht gerade eine glänzende Antwort, dachte er, doch dieser Gegenstand interessierte ihn nicht, oder besser gesagt, er wollte damit nichts zu tun haben.

»Eigenartig ist nur«, sagte Riezenkamp, der es offenbar vorzog, seinen eigenen Gedankengang weiter zu verfolgen, »daß so vieles von dem, was all diese Leute predigen oder erzählen – ich beschäftige mich damit immer noch ziemlich eingehend, – nachweislich Blödsinn ist. Das gilt sowohl für manche Theorien zum Joga als auch für die physischen Gesichtspunkte der Meditation, und trotzdem kann die Auswirkung ganz offensichtlich heilsam sein.«

»Bei der Letzten Ölung ist das auch so«, sagte Inni gereizt, doch davon wiederum verstanden die Kalvinisten natürlich gar nichts. Draußen bog eine jähe, rauhe Sturmböe die Baumzweige mit einem wütenden Stoß nach unten. Gleich würde es einen Wolkenbruch geben, und er hatte keinen Regenschirm bei sich. Dieser Tag lag schwer auf der Waagschale. Ein Mädchen, tote Tauben, ein Schatten aus der Unterwelt, ein fernöstlicher Irrer, Vorlesungen, und nun noch dieser plötzliche Niedergang eines Sommertages, der den Herbst, diese kummervolle Jahreszeit, die von Rechts wegen noch in weiter Ferne zu sein hatte, auf unangenehme Weise anzukündigen schien.

Der Kunsthändler bemerkte Innis Ungeduld nicht.

»Ich sehe, daß Taads Ihnen sein Lieblingsbuch mitgegeben hat«, sagte er. »Ich kenne es. Es ist wundervoll. Darin geschieht viel und wenig zugleich, Nuancen, kleine Verlagerungen mit dramatischen Folgen. Wenn jemand die Teezeremonie gekonnt in eine Erzählung verwoben hat, dann ist es Kawabata. Man erlebt es selten, daß in einer Erzählung ein Gegenstand die Hauptperson ist.«

Zu Innis Entsetzten holte er schon wieder ein Buch aus dem Schrank.

»Ich zeige Ihnen das nur mal, damit Sie wissen, wie Shino aussieht. Wenn Sie davon eine gegenständliche Vorstellung haben, verstehen Sie das Buch besser.«

Die weißen Hände blätterten Seiten um. Was war denn nun schon so mysteriös an Schalen oder, wenn auch das noch sein mußte, an Kelchen? Umgekehrte Schädel, die nichts mehr verdeckten, die nicht mehr auf die Erde, sondern gen Himmel gerichtet waren, Gegenstände, in die man etwas hineintun konnte, aber nur etwas, was von oben kam, aus der Oberwelt der Sonnen, Monde, Götter und Sterne. Etwas, was leer und zugleich voll sein konnte, enthielt an sich schon etwas Geheimnisvolles, doch das traf auch auf einen Plastikbecher zu. Es mußte also etwas mit dem Material zu tun haben. Das Gold des Kelches erinnerte an Blut und Wein, und wenn man diese Shino-Schalen betrachtete, schien es einem undenkbar, daß jemand aus diesen grauen und weißlichen, mit purpurfarbenen Pinselstrichen bemalten Kelchen je etwas anderes trinken würde als dieses durchsichtige, bittere grüne Getränk, das ihm Philip Taads soeben vorgesetzt hatte.

Wäre Christus in China oder in Japan geboren worden, müßte sich jetzt auf den fünf Kontinenten täglich Tee in Blut verwandeln. Aber bei dieser Teezeremonie, so viel hatte er verstanden, ging es weniger um den Tee, sondern vielmehr darum, wie man ihn trinkt. Die Form der Zeremonie mußte letztlich zu einem inneren Erlebnis führen, das den Weg weist zu den abgezäunten Gärten der Mystik. Was war die Menschheit doch für eine merkwürdige Spezies, daß sie, wie auch immer, Gegenstände benötigte, selbstgefertigte Dinge, die den Durchgang zu den zwielichtigen Gefilden des Erhabenen ermöglichen sollten.

Draußen begannen Autos zu hupen. Irgendwo hatte sich ein Lastkraftwagen festgefahren, und die Menschheit, die vor noch nicht allzu langer Zeit mit einem eleganten Sprung zum Mond geflogen war, äußerte ihr Mißvergnügen durch Wutschreie eines Orang-Utan, der keine Banane findet.

»Im Jahre 1480«, sagte Riezenkamp, »aber niemand weiß das, hat eine Hexe diesen Ort verflucht und gesagt, Amsterdam würde in Chaos und Höllenlärm untergehen.«

Er legte die Hand auf eine unergründliche Buddha-Maske und sagte: »Die Verfälschung liegt vielleicht darin, daß solche Gesichter wie dies hier und alles, was sie je ausgesprochen haben mögen, nur in einer Welt ohne Lärm entstehen konnten.« Er machte eine kurze Pause, um das anschwellende Blöken Dutzender von Autohupen besser hörbar werden zu lassen, und fuhr dann fort: »Können Sie sich vorstellen, wie unvorstellbar still es überall war, als die Herren aus jener Welt«, er deutete mit einer unbestimmten, kreisenden Handbewegung auf die meditierende asiatische Heerschar hinter sich, »ihre Gedanken ausbrüteten und verkündeten? Wer jetzt auf gedanklichem Wege zu dem zurück will, worüber sie geredet haben, stößt dabei auf nicht wenige Hindernisse, die ein Volk fernöstlicher Asketen in den Abgrund gestürzt hätten. Die Welt, aus der sie sich ihrer Ansicht nach zurückziehen mußten, wäre für uns eine Idylle gewesen. Wir leben in einer Vision der Hölle, und daran haben wir uns sogar gewöhnt.« Er betrachtete seine Standbilder und sagte: »Wir sind andere Menschen geworden. Wir sehen zwar noch so aus, haben aber nichts mehr damit zu tun. Anders programmiert. Wer jetzt noch so werden will, muß eine anständige Portion Verrücktheit mitbringen, um es hier noch aushalten zu können. Wir sind nicht mehr danach gebaut.«

Nun fing es endlich an zu regnen, und sogar stark. Die Tropfen explodierten auf den glänzenden Verdecks der Autos, die mit dem Hupen nicht mehr aufhörten. Ein paar verlorene Radfahrer suchten sich, gebeugt unter dem peitschenden Regenguß, einen Weg durch die brüllenden Fahrzeuge.

»Wissen Sie«, sagte Riezenkamp, »manchmal glaube ich, daß wir den Himmel verdient haben, allein schon, weil wir in dieser Zeit leben. Da stimmt aber auch nicht ein bißchen mehr. Es wird Zeit, daß dieses Ding mal fällt. Stellen Sie sich bloß diese wundervolle Stille vor, die danach kommt.«

6

Als Inni Wintrop in dieser Nacht zum erstenmal vom zweiten Taads träumte, träumte er gleichzeitig zum zweitenmal vom ersten. Das war kein spaßiges Erlebnis. Die beiden Taads führten ein Gespräch, dessen Inhalt beim Erwachen bereits bedeutungslos war. Ihr Anblick war es, der so unangenehm wirkte. Hastiger Haß gegen trägen Haß. Ein zäher und mitunter peitschender Dialog zwischen zwei Toten. Denn daran bestand kein Zweifel: Die beiden Taads befanden sich an einem Ort, wo sie von niemandem gesehen werden konnten, es sei denn von jemandem mit geschlossenen Augen, von einem wühlenden Träumer, der sich den Schweiß vom Gesicht wischt, erwacht, zum offenen Fenster läuft und hinausschaut auf die schwarze Stille der Gracht. Was der Träumer empfindet, ist Angst. Aus einem anderen offenen Fenster klang der Uhrenschlag herüber, vier Uhr. Tastend suchte er den Weg zurück ins Bett und schaltete die Lampe an. Das Buch von Kawabata lag halb aufgeschlagen auf seinem Kissen, ein aus hauchdünnen Wörtern gesponnenes, lebensgefährliches Spinnennetz, in dem Menschen gefangen saßen und Teeschalen das große Wort führten, Schalen, die den Geist ihrer früheren Besitzer in sich bargen und vernichteten, oder, wie in dieser Erzählung, selbst vernichtet wurden.
Vier Uhr. Er wußte nicht, ob er noch einmal einschla-

fen konnte. Für eine Schlaftablette war es zu spät, doch die Gefahr, daß die Wächter des Totenreiches die beiden Taads in dieser Nacht noch einmal durchlassen könnten, war zu groß. Warum war dieser Traum eigentlich so angstgeladen? Niemand hatte ihn bedroht, und was gesagt wurde, hatte er nicht verstanden. Aber vielleicht gerade deshalb: Er hatte einfach nicht existiert. Erst in diesem Augenblick wurde ihm klar, daß Philip Taads ja gar nicht tot war, sondern lebte. Zumindest wenn er, Inni, noch lebte. Er stand auf und zog sich an. Das erste Grau begann aus den Bürgersteigen zu kriechen, schlich an den Wänden entlang, zog die Umrisse der Häuser und Bäume aus dem allumfassenden Schutz der Nacht. Wohin? Er beschloß, den Gang von gestern noch einmal zu tun. Es war nichts Unwiderrufliches geschehen. Die Stadt hatte alle ihre Örtlichkeiten behalten. Wo die erste Taube auf das Auto geprallt war, blieb er stehen. Die Taube hatte nicht geblutet, es war nichts zu sehen. Jetzt ging er die Strecke weiter, auf der er gestern radgefahren war. Auf dem Gepäckträger seines imaginären Rades saß das imaginäre Mädchen. So würde es aussehen, wenn man richtig alt war: eine Stadt voller imaginärer Häuser, Frauen, Zimmer und Mädchen. Die Brücke am Park wurde nun zur Straße, und er lief über die zweite Taube hinweg, die zweifellos unter seinen Füßen saß und schlief. Der Park war offen. Feuchter Duft des Erdbodens. Er suchte nach der Stelle, wo sie die Taube begraben hatten, doch er fand sie nicht. Die Erde war noch naß vom Regen. Unter den mit Wasser gefüllten Fußabdrücken mußte auch der des Mädchens sein. Und sein eigener. Es war, als wären sie ertrunken. Auch ihre Wohnung konnte er nicht mehr finden. Das Dunkel war verschwunden, und doch war das Licht noch kein Tageslicht. Man konnte meinen, es träume auch die Stadt, – einen gräßlichen Traum des neunzehnten Jahrhunderts, mit Häuserblöcken aus Backstein, mit blinden Fenstern, mit Gardinen wie Leichengewänder. In den Zimmern, die dahinter waren, wohnten keine Mädchen, dort konnte er nie und nimmer am Morgen zuvor auf einem Bett gelegen haben, einen Schwall goldener Haare in den Händen. Wohnten hier überhaupt Menschen? Beim Gehen lauschte er seinen eigenen harten, einsamen Schritten, und weil er lauschte, ging er schneller. Die staubige Gestalt der dritten Taube zeichnete sich noch immer auf dem Schaufenster von Bender ab. Die hatte der Regen nicht auslöschen können. Es hatte sich alles also wirklich zugetragen. Vor Bernards Schaufenster hing ein beigefarbener Vorhang. Der gelbe Unfug einer ersten Straßenbahn löste den Zauber. Kein einziger Fahrgast, der Fahrer saß darin wie eine Puppe. Auf dem Platz der Raku-Schale stand nichts. Doch er brauchte die Augen nicht zu schließen, um diese Schale zu sehen: schwarz, glänzend und drohend, eine Botschafterin des Todes. Als er bei Philip Taads klingelte, wurde sofort aufgemacht.

7

»Ich schlafe sehr wenig«, sagte Philip Taads. Er saß
auf dem gleichen Platz wie am Tag zuvor und trug
einen schlichten blauen Kimono. »Schlaf ist Unsinn.
Eine merkwürdige Abwesenheit, die nichts zu bedeu-
ten hat. Jemand von all den Menschen, die man selbst
ist, ruht sich aus, die anderen bleiben wach. Aus je
weniger Menschen man besteht, um so besser schläft
man.«
»Wenn du nicht schläfst, was machst du dann?«
»Dann sitze ich hier.«
Hier. Das konnte nur der Platz sein, auf dem er jetzt
tatsächlich saß.
»Aber was machst du dabei?«
Taads lachte.
»Joga?«
»Joga, Zen, Tao, Meditation, Kono-Mama, aber das
sind alles nur Worte.«
»Meditieren? Worüber?«
»Die Frage ist nicht gut. Ich denke nach über nichts.«
»Dann könntest du ja ebensogut schlafen.«
»Wenn ich schlafe, träume ich. Das entzieht sich mei-
ner Verfügungsgewalt.«
»Träume sind notwendig.«
Taads zuckte die Schultern.
»Für wen? Mich stören sie. Da tauchen alle möglichen
Leute auf, um deren Anwesenheit ich nicht gebeten

habe, und es geschehen Dinge, die ich nicht wünsche. Und täusch dich da nicht, diese Ereignisse und Menschen mögen vielleicht unwirklich sein – obwohl ich nicht weiß, was das nun wieder bedeutet, – aber man sieht sie, zwar schlafend, trotzdem mit eigenen Augen. Sie haben das alles gemessen, deine Augen, sie gehen hin und her und folgen den unwirklichen Menschen auf dem Fuß. Ich finde das störend.«

»Letzte Nacht habe ich von deinem Vater geträumt«, sagte Inni. »Und von dir auch.«

»Das finde ich auch störend«, sagte Philip Taads. »Ich war hier. Ich war nicht bei dir. Was hast du denn geträumt?«

»Ihr wart tot und habt ein feindseliges Gespräch geführt. Ich konnte nichts verstehen.«

Taads schaukelte langsam hin und her.

»Wenn ich sage, daß ich nachdenke über nichts«, sagte er schließlich, »dann meine ich damit nicht das Nichts. Das ist Unsinn. Tao ist ewig, spontan, namenlos, man kann es nicht beschreiben. Es ist der Anfang aller Dinge und zugleich die Art, auf die sich alles vollzieht. Es ist das Nicht-Etwas.«

Inni wußte keine Antwort darauf. Plötzlich sah er hinter dieser trägen Gestalt in ihrem weißen Kloster den alten Taads auftauchen. Er kam mit rasender Geschwindigkeit auf seinen Skiern einen verschneiten, ziemlich steilen Abhang herabgeschossen.

»Die Schwierigkeit besteht darin«, fuhr Philip Taads fort, »daß der Gedanke zu diesen Dingen nicht in den Worten steckt. Zen gebraucht wenig Worte und viel Beispiele. Jemandem, der darin nicht Bescheid weiß, kommt das alles wie Blödsinn vor. Mystik ist immer

Blödsinn. Die christliche auch, wenn sie sich mit der buddhistischen berührt, wie bei Meister Eckhart. Für Eckhart ist Gott sowohl Sein als auch Nichtsein. Du siehst, das Nichts ist nie weit weg. Das Loch nennen die Buddhisten das.«

Taads machte jetzt ein Gesicht wie jemand, der sich anschickt, mit Zitaten aufzuwarten.

»Ich sage, Gott muß sehr ich und ich muß sehr Gott sein, so verzehrend eins, daß dieser Er und dieses Ich ein einziges Ist sind und in dieser Istigkeit ewig an ein und demselben Werk schaffen. So lange aber dieser Er und dieses Ich, das heißt Gott und die Seele, nicht ein einziges Hier und ein einziges Jetzt sein können, kann das Ich nicht gemeinsam schaffen oder eins sein mit dem Er.«

»Istigkeit?«

»Istheit.«

»Ein schönes Wort.« Inni kostete es noch einmal aus: »Istigkeit.«

Es war, als fasse Taads nun plötzlich Mut.

»Nach Zhuang-zi...«

»Zhuang was?«

»Zhuang-zi, ein Taoist. Nach Zhuang-zi also befinden sich alle Dinge in einem unaufhörlichen Zustand der Wandlung, jedes auf seine eigene Art. In dieser ewig währenden Wandlung erscheinen und verschwinden die Dinge. Was wir ›Zeit‹ nennen, spielt nicht die geringste Rolle. Alle Dinge sind gleich.«

Inni hörte den Vater: »Ich bin ein Kollege alles Bestehenden.«

Als Leute, die nie miteinander geredet hatten, schienen die beiden Taads sich seltsam einig zu sein, doch die

Vorstellung, ein Gedankengang könne vererbt werden, war ihm noch immer zuwider. Was sollte dann sein eigener, verschwundener Vater in ihm hinterlassen haben?

»Was hat das aber mit dem Gott von Eckhart zu tun?«

»Gott ist auch nur ein Wort.«

»Aha.«

»Wirklichkeit und Unwirklichkeit«, sagte Philip Taads, »Gut und Böse, Leben und Tod, Liebe und Haß, Schönheit und Häßlichkeit, alles was gegensätzlich ist, ist im Grunde ein und dasselbe.«

Jetzt sieht er aus wie Jesus im Tempel, dachte Inni. Er weiß alles. Wenn alles ein und dasselbe war, brauchte man sich auch keine Mühe mehr zu geben.

»Wie kann man aber in der Praxis damit leben?«

Taads gab keine Antwort. In einem selbstgewählten Universum von fünfzig Quadratmetern brauchte man darauf vielleicht auch keine Antwort zu geben. Inni verspürte eine unbändige Lust aufzustehen, und das tat er dann auch. Ich habe zu wenig geschlafen, dachte er. Als er hinter Taads stand – der war jetzt eine in Blau gehüllte, sich sanft bewegende Puppe, deren untere Hälfte im Fußboden steckte, – sagte er: »Ich habe geglaubt, daß alle diese Lehren – oder wie man sie nennen will – dazu bestimmt sind, auf die eine oder andere Weise zu allem, was besteht, ein harmonisches Verhältnis zu erreichen. Das scheint mir ein Widerspruch zu dem, was du gestern gesagt hast. Wenn jemand aussteigt, ist das nicht harmonisch.«

Die blaue Gestalt sank in sich zusammen.

»Wozu ist eigentlich all das Meditieren gut?«

Inni hörte, daß seine Stimme den hohen I-got-youthere-Ton des Staatsanwalts in einer vom amerikanischen Fernsehen ausgestrahlten Gerichtsverhandlung annahm.

»Darf ich versuchen, es zu erklären?«

Taads Stimme klang jetzt demütig, aber es dauerte noch eine ganze Zeit, bis er etwas sagte.

»Wenn man nie auf diese Weise darüber nachgedacht hat, muß es auch wie Unsinn klingen, was ich sage. Wenn man es auf die übliche abendländische Art betrachten will, bin ich einfach ein Krankheitsfall, nicht wahr? Einer, der aus allen möglichen Gründen – Herkunft, Verhältnisse und das ganze Sammelsurium – nicht mehr mitkommt und auch offen ausspricht, daß er nicht mehr mitwill. So etwas gibt es, ich bin nicht der einzige. Was der Orient mir gegeben hat, ist der Gedanke, daß mein Ich gar nichts Einzigartiges ist. Es verschwindet nicht sehr viel, wenn es verschwindet. Es ist nicht so wichtig. Ich störe die Welt, und die Welt stört mich. Harmonie wird erst dann erreicht, wenn ich beides gleichzeitig abschaffe. Was dann stirbt, ist ein Bündel Verhältnisse, das meinen Namen trug, und das beschränkte und sich überdies ständig wandelnde Wissen, das die Verhältnisse über sich selbst besaßen. Ich finde das nicht schlimm. Was ich verlernt habe, ist die Angst. Das ist gar nicht wenig, zu mehr aber bin ich nicht imstande. In einem Zen-Kloster würde ich wahrscheinlich unbarmherzig etwas mit dem Knüppel abbekommen, denn bei mir stimmt nichts, aber ich bin zufrieden damit. Was ich erreicht habe, ist negativ. Ich habe keine Angst mehr. Ich kann mich in aller Ruhe auflösen, so wie man eine Flasche Gift im Ozean auflöst. Dem Ozean kann das wenig anhaben. Und das

Gift ist von einer schweren Bürde befreit, es braucht nämlich kein Gift mehr zu sein.«

»Und das ist die einzige Lösung?«

»Mir fehlt die Liebe.«

Diese Worte wurden so trostlos ausgesprochen, daß Inni sich einen Augenblick lang versucht fühlte, die Hand auf diesen widerspenstigen, verschlossenen Kopf zu legen.

Er dachte an die Zeile eines spanischen oder südamerikanischen Dichters, die er irgendwo einmal gelesen hatte und die er nicht mehr vergessen konnte: »Der Mensch ist ein trübseliges Säugetier, das sich kämmt.«

»Möchtest du dich nicht wieder setzen?«

Die Stimme klang jetzt schleppender denn je und hatte den Unterton des Aufbegehrens. Er zerstörte hier eine Weltordnung, schon wieder. Er blickte auf seine Armbanduhr.

»Es wird dir schon wieder zuviel«, sagte Taads.

»Bei Mak van Waay ist eine Auktion.«

Das klang lächerlich.

»Es ist noch früh. Du willst weg von hier.«

»Ja.«

»Du glaubst, daß ich verrückt bin.«

»Nein. Aber ich kriege Beklemmungen davon.«

»Ich auch. Aber was ist es denn, genau gesagt, was dich bedrückt?«

Inni antwortete nicht und ging zur Tür. Dort angekommen, drehte er sich um. Taads hatte die Augen geschlossen und saß ganz still.

Wenn das ein Film wäre, hätte ich mich schon längst davongemacht, dachte Inni. Er sah sich an der Tür stehen, müde, mit beginnender Kahlköpfigkeit, ein

verfallender Mann von Welt, einer, der zu einer Kunst-
auktion unterwegs war und sich in die Wohnung eines
Verrückten verirrt hatte.

»Ich hätte mich auch wieder aufmöbeln lassen können«, sagte Taads. »In unserer Welt hier ist mein
Individuum so wichtig, daß es jahrelang mit Hilfe eines
Psychiaters in sich selbst und in seine nichtssagende
Geschichte hinabsteigen darf, damit es dann wieder
mithalten kann. Mir ist das nicht wichtig genug. Und
dann ist Selbstmord keine Schande mehr. Wenn ich ihn
früher begangen hätte, dann aus Haß, aber das ist jetzt
nicht mehr so.«

»Haß?«

»Ich haßte die Welt. Menschen, Gerüche, Hunde,
Füße, Telefone, Zeitungen, Stimmen, alles erfüllte
mich mit größtem Widerwillen. Ich hatte immer
Angst, ich könnte jemanden umbringen. An Selbstmord denkt man, wenn man mit seiner Angst und
Aggression die ganze Welt bereist hat und wieder bei
sich selbst ankommt.«

»Es bleibt Aggression.«

»Muß nicht sein.«

»Worauf wartest du dann noch?«

»Auf den richtigen Zeitpunkt. Es ist noch nicht soweit.«

Er sagte das so freundlich, als rede er mit einem Kind.

»Du bist verrückt«, murmelte Inni ratlos.

»Und das ist auch nur ein Wort.«

Taads lachte und begann sich hin und her zu wiegen,
ein blaues, menschliches Pendel, das die Zeit bis zu
einem jetzt noch nicht wahrzunehmenden Moment
auszählte, an dem sein Ziffernblatt wegschmelzen und

davontreiben würde, davontreiben in Gefilde, wo es keine Ziffern mehr gibt. Er beachtete Inni nicht mehr und sah fast glücklich aus, ein Künstler nach der Vorstellung. Langsam öffnete das Publikum die Tür. Straßenlärm, der nicht in diesen Raum gehörte, schlug herein, doch Taads schaute nicht mehr auf. Die Tür schloß sich hinter Inni mit einem saugenden Geräusch, als wolle noch möglichst viel Luft mit ihm nach draußen entkommen, wo sich die anarchistische Freiheit des Amsterdamer Alltags über ihn ausbreitete. Er mußte duschen, bevor er zur Auktion ging. Vorerst würde er diesen Taads nicht mehr besuchen.

8

Ob es an seiner katholischen Vergangenheit lag, wußte er nicht, es kam jedenfalls anders. In bestimmten Zeitabständen machte er, was er eine Wallfahrt zum Kloster hoch in den Bergen nannte. Das vermittelte ihm ein angenehmes Gefühl der Beständigkeit. Taads war immer zu Hause. Und über Selbstmord wurde nicht mehr gesprochen, so daß Inni die Vermutung kam, der einsame Klosterinsasse habe den Termin seines selbstgewählten mit dem seines natürlichen Todes zusammengelegt. Die siebziger Jahre wälzten sich träge durch die Zeit. Es hatte den Anschein, daß die Welt – ebenso wie er selbst und die Stadt, in der er wohnte – langsam in sich zerbröckelte. Die Menschen wohnten allein und drängten sich abends verzweifelt in überfüllten Kneipen. Den Frauenzeitschriften hatte er entnommen, daß er bei der männlichen Menopause angelangt war, und das paßte wunderbar zum Verfall der Börse und zu den aufgerissenen Straßen von Amsterdam, das sich zum Ausgleich auf eine angenehme Weise immer weiter nach Asien und Afrika verlagerte. Auch er lebte noch immer allein, reiste viel, war ab und zu verliebt, obwohl er selbst die allergrößte Mühe hatte, so etwas noch ernst zu nehmen, und tat weiterhin, was er immer getan hatte. Die Welt ging, soweit er es sehen konnte, auf eine ordentliche und kapitalistische Manier einem logischen vorläufigen oder auch unwiderruflichen Ende entgegen. Wenn der Dollar sank, stieg das Gold. Wenn die Zinsen stiegen, machten die Grundstücksmakler Pleite. Je größer die Zahl der Konkurse war, um so wertvoller wurden seltene Bücher. Es herrschte schon Ordnung in dem Chaos, und wer die Augen offenhielt, brauchte nicht gegen einen Baum zu fahren. Doch ein Auto mußte man dann schon haben. Nach den kahlgeschorenen Klinglern erschienen jetzt hohe weiße Turbane, Rastafari-Frisuren und Jesuskinder auf den Straßen: Das Ende der Zeiten war nahe herbeigekommen, und er glaubte nicht, daß das schlimm war. Die Sintflut brauchte nicht nach einem zu kommen, man mußte sie selbst mitmachen. Eine Renaissancezeichnung, ein Anzug von Cerutti, die eigenen Sorgen und ein Madrigal von Gesualdo bekamen vor diesem Hintergrund ein Relief, das ihnen ruhigere Zeiten nicht hätten verschaffen können. Und die Voraussicht, Politiker, Wirtschaftler und ganze Staaten in einem Misthaufen eigenen Fabrikats versinken zu sehen, bereitete ihm große Freude. Seine Freunde erläuterten ihm, eine solche Haltung sei frivol, nihilistisch und bösartig. Er wußte, daß das nicht stimmte, doch er widersprach ihnen nicht. Er hatte sich, so dachte er, im Gegensatz zu den meisten anderen nur nicht durch Zeitungen, Fernsehen, Heilslehren und andere Philosophien zu der Doktrin bekehren lassen, dies sei »trotz allem« doch eine ganz annehmbare Welt, nur weil sie nun einmal existierte. Darüber würde man sich nie einig werden. Lieb und teuer vielleicht, aber ganz annehmbar niemals. Diese Welt gab es erst einige tausend Jahre. Etwas war da gründlich schiefgegangen, und nun sollte es wieder von vorn anfangen. Die Treue gegenüber Gegenständen, Menschen oder sich selbst, die er im täglichen Leben zeigte, änderte nichts an dieser Erkenntnis. Das Universum kam recht gut ohne die Welt aus, und die Welt konnte vorerst recht gut ohne Menschen, Dinge und Inni Wintrop auskommen. Doch im Gegensatz zu Arnold Taads konnte er die Ereignisse ruhig abwarten. Schließlich konnte es noch weitere tausend Jahre dauern. Er hatte einen ausgezeichneten Platz im Saal. Das Stück war mitunter horrorgeladen, dann wieder lyrisch, ein Spiel der Verirrungen, zärtlich, grausam und obszön.

9

Fünf Jahre nach seiner ersten Begegnung mit Philip Taads bekam er einen Anruf von Riezenkamp. Auch sie hatten sich im Laufe dieser fünf Jahre mehrmals gesehen, und meistens war auch Taads Gesprächsgegenstand gewesen.

»Herr Wintrop«, sagte Riezenkamp durchs Telefon, »ich glaube, es ist soweit. Ich habe auf der Auktion bei Drouot etwas ganz Besonderes für Freund Taads erstanden, obwohl ich mir nicht vorstellen kann, daß er in der Lage ist, das zu bezahlen. Er kommt gleich, um es sich anzusehen. Wollen Sie vielleicht dabei sein?«

»Ein Chawan?« fragte Inni. Er war mit seiner Hausarbeit fertig.

»Klassischer Akaraku. Ein Wunder.«

»Ich komme«, sagte Inni.

Die ewige Wiederholung der Ereignisse. Als er sich der Brücke an der Prinsen- und Spiegelgracht näherte, sah er Taads dort schon stehen, eine einsame Gestalt im Regen. Große Trübsal befiel Inni, doch er nahm sich vor, es nicht zu zeigen. Auf die eine oder andere Weise hatten sie nun doch das letzte Stadium dieser idiotischen Geschichte erreicht.

Der Herbstwind trieb ganze Schwaden orangefarbenen oder braunen Laubs über den Bürgersteig auf Taads zu, so daß es den Anschein hatte, als stünde er trotz des Regens in einem flackernden, lodernden Feuer. Doch Regen oder Feuer konnten ihm nichts anhaben. Er stand dort, festgemauert, den Blick unverwandt auf die Schale im Schaufenster gerichtet. Inni stellte sich neben ihn, sagte aber nichts.

Die Schale hatte die Farbe der toten Blätter, aller toten Blätter zusammen, den Glanz kandierten Ingwers, süß und bitter, hart und sanft, das brünstige Lodern des Vergehenden. Sie war breit, nahezu ungeschlacht, nicht von Menschen gemacht, sondern in grauer Vorzeit entstanden. Hatte die schwarze Schale noch etwas Bedrohliches an sich gehabt, so ließ diese derartige Interpretationen weit hinter sich. Der Gedanke, die Dinge müßten von Menschen gesehen werden, um zu bestehen, war hier fehl am Platze. Wenn es so etwas gab wie ein Nirwana für Dinge, so war diese Raku-Teeschale bereits vor Äonen darin eingegangen. Inni verstand, daß Taads nicht einzutreten wagte. Von der Seite betrachtete er dessen Gesicht. Es war fernöstlicher und verschlossener denn je, doch in den Augen brannte ein Feuer, das Furcht einflößte. Als Inni den Blick wandern ließ, bemerkte er den Kunsthändler, der aus seinem Geschäftsraum heraus Taads so betrachtete wie dieser die Schale. Wie bei alten Zeichnungen, auf denen die verlängerte Perspektive eingezeichnet ist, konnte er eine Linie ziehen, die von ihm zu Riezenkamp, von Riezenkamp zu Taads und von Taads zur Schale verlief.

Jemand mußte den Bann brechen. Sanft berührte er Philip Taads' Arm.

»Komm, wir gehen hinein«, sagte er.

Taads schaute nicht auf und ließ sich hineinführen.

»Nun, Herr Taads«, sagte Riezenkamp, »übertrieben habe ich nicht, was meinen Sie?«

»Ich möchte sie gern einmal in den Händen halten.«

Der große Körper des Kunsthändlers beugte sich in das Schaufenster und brachte mit einer unsäglich behutsamen Gebärde die Schale zum Vorschein.

»So, ich stelle sie hier auf den Tisch, dann haben Sie die beste Beleuchtung.«

Als die Schale auf dem Tisch stand, trat Taads einen Schritt näher. Inni wartete auf den Zeitpunkt, an dem er sie in die Hände nehmen würde, doch so weit war es noch lange nicht. Er starrte darauf, murmelte etwas und setzte sich in Bewegung, um eine Runde um den Tisch zu machen, so daß die beiden anderen zur Seite treten mußten.

Er hat, dachte Inni, gleichzeitig etwas von einem Jäger und von dem Tier, dem er nachstellt, ist Jäger und Opfer zugleich. Schließlich streckte er dann doch die Hand aus. Ein einziger Finger strich ganz leicht über die Außenfläche und verschwand dann – ebenso langsam, als sei das eine Entweihung – in der Schale. Niemand sagte etwas. Da ergriff Philip Taads die Schale plötzlich mit beiden Händen und hob sie in die Höhe, wie bei einer Weihehandlung. Er führte den Sockel dicht an die Augen und öffnete den Mund, als wolle er etwas sagen. Doch er schwieg. Dann setzte er die Schale sanft nieder.

»Und?« fragte Riezenkamp.

»Raku IX., glaube ich.«

»Warum?«

»Weil die Schale ziemlich leicht ist«, antwortete Taads.

»Aber ich erzähle Ihnen natürlich nichts Neues. Sie ist

keines seiner Meisterwerke, denn die sind, soweit ich weiß, alle schwarz. Und die Prägung ist rund, daher ist sie vielleicht einer der zweihundert Chawan, die er beim Tode des ersten Raku, Chojiro, gemacht hat.« Er sah Riezenkamp an, der unmerklich nickte.

»Chojiro«, fuhr Taads fort, doch jetzt mehr zu Inni gewandt, »lernte seine Kunst von Rikyu, dem größten Teemeister aller Zeiten. Hier, sieh mal, die Farbe einer Schale hatte den Zweck, das merkwürdige Grün des japanischen Tees besser zur Geltung kommen zu lassen. Und auch für die Form gelten Gesetze, die alle von Rikyu bestimmt wurden: Wie sich die Schale in der Hand anfühlt, Gleichgewicht, was man empfindet, wenn man sie an die Lippen setzt«, er führte die Schale zum Mund, wie jemand, der einen Schuh anprobiert, »und natürlich die Temperatur. Der Tee darf sich durch die Schale hindurch nicht zu heiß oder zu kalt anfühlen, genau so, wie man ihn trinken will. – Habe ich die Prüfung jetzt bestanden?« fügte er plötzlich hinzu.

»Alles, was Sie über die Herkunft wissen, habe ich hier«, sagte Riezenkamp und wedelte mit einem Briefumschlag. »Sie sollten Kunsthändler werden, Sie sind besser qualifiziert als ich.«

Taads antwortete nicht. Er legte seine schmalen Hände um die Schale.

»Ich möchte sie haben«, sagte er.

Inni begriff, daß nun von Geld die Rede sein würde, und ließ die beiden allein. Taads und Riezenkamp verschwanden im Büro. Es dauerte nicht lange. Als sie wieder herauskamen, hatte Taads's Gesicht einen leeren, verlorenen Ausdruck. Er hat, was er haben wollte, dachte Inni, der aus eigener Erfahrung wußte, daß das nicht immer angenehm ist. Taads schickte sich an, die Schale in sehr dünnes Papier einzuwickeln, das er aus dem Büro mitgebracht hatte. Dabei sagte er nichts.

»Ich habe zu diesem festlichen Anlaß eine Flasche Sekt kaltgestellt, Herr Taads«, sagte Riezenkamp.

»Das ist sehr nett von Ihnen, Herr Riezenkamp, aber das habe ich nicht verdient. Wenn Sie mir eine Freude machen wollen, trinken Sie beide ihn. Bald werde ich Sie einladen, mit mir aus dieser Schale zu trinken. Ich hoffe, Sie werden dann beide kommen.«

Er reichte beiden feierlich die Hand, machte dabei so etwas wie eine Verbeugung und verschwand. Durch das Glas des Schaufensters sahen sie ihn weggehen. Ein Straßenpassant indonesischer Abkunft mit einer Schachtel unter dem Arm.

»Da zieht er los mit seinem Baby«, sagte Riezenkamp. »Wissen Sie, mir ist nicht wohl dabei. Jahrelang ist er hier gewesen, und jetzt geschieht alles so schnell, so öde. Das gefällt mir nicht. Vielleicht liegt's an meiner Erziehung, aber ich komme mir vor wie Judas.«

»Judas?«

»Lassen Sie nur, alles Unsinn. Aber er wird mir fehlen.«

»Er wird doch wieder einmal vorbeikommen.«

»Nein, das glaube ich nicht. All die Jahre hat er nur eines gewünscht, und das hat er jetzt. Nun gibt es nichts mehr, was er sich wünschen könnte. Zumindest von mir.«

»Da gerade von Judas die Rede ist... Wieviel hat die Schale denn gekostet?«

»Eine Zahl mit vier Nullen. Er muß sozusagen sein

Leben lang darauf gespart haben. Und das trug er noch dazu bei sich.«

»Den genauen Betrag? Er hatte die Schale doch noch nicht gesehen?«

»Ich weiß nicht, ob er noch mehr bei sich hatte. Aber was ich verlangte, hat er hingeblättert.«

Vier Nullen, dachte Inni, das kann alles sein zwischen zehn und neunzig. Aber wenn Riezenkamp es nicht sagen wollte, würde er auch nicht weiter danach fragen. Es würde sich wohl schon jemand finden, der wußte, was die Schale bei Drouot eingebracht hatte. Alles andere ließ sich leicht ausrechnen – das war dann der Judas-Anteil.

»Gegen ein Gläschen Sekt habe ich nichts einzuwenden«, sagte er.

»Da bin ich aber mal neugierig«, sagte Riezenkamp, nachdem er das erste Glas eingeschenkt hatte, »wann er uns zur Teezeremonie einlädt. Haben Sie so etwas schon mal mitgemacht?«

Inni schüttelt verneinend den Kopf.

»So schwierig ist das nicht«, sagte der Kunsthändler, »wenn man bedenkt, was das für die Japaner bedeutet. Allerdings ist das maßlos ritualisiert.«

»Und sehr ermüdend. Ich glaube, man muß die ganze Zeit auf den Knien sitzen?«

»Es kommt der Augenblick, an dem man davon nichts mehr fühlt. Doch es ist natürlich Unsinn, wenn ein Abendländer so etwas tut. Was das betrifft, so hoffe ich, daß dieser Kelch beziehungsweise diese Schale an uns vorübergeht. Denn darauf können Sie sich verlassen, daß er das gut durchstudiert hat, unser einsamer Freund.«

Inni dachte an Taads, der sich jetzt mit seiner Schale in sein Hochgebirge zurückgezogen hatte. Er wollte sich dazu etwas denken, wußte aber nicht was.

10

Die Einladung kam einige Wochen später. In einem
kurzen Briefchen wurde mitgeteilt, Inni und Riezenkamp seien eingeladen und würden, ohne Rückant-
wort, an einem Sonnabend im November erwartet, wie
sich später herausstellte, an einem Tag mit höllischem
Sturm- und Hagelwetter. Selbst die Natur schien
keinen Zugriff auf Philip Taads' Hoheitsgebiet zu
haben, denn die Stille in seiner Dachkammer war dem
Sturm, der an den Fenstern rüttelte, durchaus gewach-
sen.

An dem Zimmer hatte sich etwas verändert. Es hatten
sich subtile Verlagerungen vollzogen, durch die das
Zimmer, wenn man genau hinsah, asymmetrisch geworden war. Der Kakemono mit den Blüten war verschwunden, doch an die Stelle der gemalten waren
echte Blüten getreten, eine dunkelviolette und eine
goldfarbene Chrysantheme, die Farben von Herbst
und Advent. Auch das Buch mit dem Porträt von Kawabata war weg. Die Stelle, an der die Zeremonie
stattfinden sollte, war nicht in der Zimmermitte, sondern irgendwo rechts in einer Ecke, wo ein Bronzekessel voller Wasser auf einem kleinen Kocher vor sich hin
brodelte. Dort, wo einmal der Kakemono mit den
Blüten gewesen war, hing nun eine nicht sehr große
Rolle mit kalligraphischen Schriftzeichen. Sie erinner-
ten Inni an einen schnellen Skifahrer, der bei seiner

rasenden Abfahrt über einen verschneiten Hang gezeichnet worden war.

Taads, der die Tür einen Spalt breit offen gelassen hatte, war augenscheinlich noch hinter seinen Portieren beschäftigt. Riezenkamp betrachtete aufmerksam die kalligraphischen Schriftzeichen und kniete dann auf der Matte vor dem Kocher nieder, wo zwei sehr kleine Kissen bereitlagen. Er bedeutete Inni, das gleiche zu tun.

»Ein Vergnügen wird das nicht«, sagte Inni. »Was hat man denn für Vorstellungen, wie lange wir hier so hocken sollen?«

Der Kunsthändler gab keine Antwort mehr. Er hatte die Augen geschlossen. Ach, wenn doch jemand die beiden jetzt hätte sehen können! Riezenkamps Anzug war diesmal aus anthrazitfarbenem Flanell. Seine großen Hände lagen ausgestreckt auf den Oberschenkeln, so daß die Manschetten hervorragten. Zusammengehalten wurden sie von großen, goldenen Jugendstil-Manschettenknöpfen, in denen ein tiefblauer Lapislazuli glänzte. Die gleiche Farbe fand sich in seinem Seidenschlips wieder und stach nahezu ungestüm vom bleichen Rosa des Oberhemdes ab. Jermyn Street, dachte Inni abschätzend. Und Schuhe von Agee. Viele Auktionen fanden nun mal in London statt. Er selbst hatte vorsorglich eine ziemlich weite Corduroy-Hose angezogen, dazu einen beigefarbenen Cashmere Turtleneck aus der Burlington Arcade. Zwei Engländer in Japan, der Dinge harrend, die da kommen sollten. Kniet nieder! Wie oft hatte er das nicht schon getan? Auf harten Bänken, auf Quadersteinen, auf kalten Altarstufen, auf Marmor, auf goldbestickten Kissen, vor seinem Bett im Schlafsaal des Internats, in der dunklen Höhle des Beichtstuhls, zur Strafe in einer Ecke des Refektoriums, während die anderen aßen. Vor der Heiligen Jungfrau, vor dem Heiligen Herz, vor dem Allerheiligsten Sakrament, an Taufbecken und Särgen, – immer diese durchgebrochene Haltung, dieser unnatürliche Bruch im Körper, der Erniedrigung und Ehrerbietung ausdrücken sollte. Er schaute um sich. Wo war das wohl noch zu finden: zwei Herren mittleren Alters, gemeinsam auf den Knien hockend vor einem flackernden Feuerchen in einer vom Wintersturm heimgesuchten Dachkammer im Amsterdamer Stadtviertel De Pijp? Taads kam herein, oder richtiger, er kam hinter seinen gespenstischen Portieren hervor. Diesmal trug er einen kurzen Kimono – etwa so wie der, den der Nobelpreisträger in dem verschwundenen Buch anhatte – über einem langen, rostfarbenen Gewand, – die Casula über der Albe. In der Hand hatte er eine Kanne, die, wie sich später erwies, Wasser enthielt. Er machte eine knappe Verbeugung, die sie erwiderten. Er verschwand und kam wieder zum Vorschein, diesmal mit einer hohen, runden schwarzlackierten Schachtel. Feine Goldfäden schimmerten unter dem glänzenden Schwarz. Sodann kam ein Tablett mit kleinen, pastetenartigen Kuchen, die herbstliche Lohe der Raku-Schale und ein langer, schmaler Gegenstand, ganz schlicht aus Bambus geschnitten, mit einer kleinen Krümmung am äußersten Ende, wie wenn an einem sehr langen Finger nur das letzte Glied gekrümmt wäre. Es folgte dann noch eine Art Haarbürste, aus aufgerauhtem, äußerst feinem Rohr oder Bambus gefertigt, und schließlich eine breite, etwas bäurische Schale und ein Holzbecher an einem langen Stiel. Taads setzte das alles um sich herum, zweifellos an vorausbestimmte Stellen. Seine Bewegungen glichen denen eines langsamen Tänzers und waren von untadeliger Zielsicherheit. Es herrschte weiterhin absolute Stille. Das Rascheln der Kleidung, das Brodeln des kochenden Wassers, das Heulen des Sturms, und doch regierte das Schweigen so zwingend, daß es schien, als hätten die Gegenstände, deren Funktion Inni nicht kannte, auf eine aktive Weise teil an der Stille. Es war, als schwiegen sie und drückten doch durch ihre vollendete Form aus, daß dies ein vorgefaßtes Schweigen war. Er schaute nach Riezenkamp, doch der verzog keine Miene. Völlig reglos saß er da, die Augen unverwandt auf die hagere, sich bedächtig bewegende Gestalt von Taads gerichtet, der ihm gegenüber Platz genommen hatte. Mit einer seidenen Serviette strich Philip Taads über den Bambusstab, der an seiner Krümmung eine Ausbuchtung hatte, und über den Löffel. Er hob den Deckel von dem schweren Bronzekessel, entnahm etwas Wasser, das er in die Raku-Schale tat, und wusch darin die Bambusbürste oder die Schaumkelle oder was es sonst sein mochte. Dann goß er das Wasser langsam in die breitere, ungeschlachtere Schale und wischte die Raku-Schale mit einem einfachen Baumwolltuch aus. Inni sah, daß er die Gegenstände auf eine besondere Art ergriff, von sich weg drehte und niederlegte, aber wie und warum, konnte er nicht ausmachen, denn trotz der Bedächtigkeit schien alles schnell zu gehen, schien alles eine lange, fortfließende Handlung zu sein, eine lange, kurvenreiche Strecke ritueller Hindernisse, wobei die

Hände mitunter die Stellung balinesischer Tänzerinnen annahmen und auf jeden Fall zu anderen, zu nichteuropäischen Händen wurden. Zweimal griff der lange, dünne Stab in die lackierte Schachtel. Inni sah, wie der Schatten grünen Teepulvers in das ingwerfarbene Feuer der Raku-Schale niederregnete. Dann goß Taads einmal kochendes Wasser aus dem tief gehöhlten Holzlöffel in die Schale und rührte mit schnellen, jähen Bewegungen der Bürste das Gemisch um. Aber Rühren konnte man das vielleicht gar nicht nennen, es war viel eher ein sanftes und doch heftiges Klopfen. Auf dem Boden der Schale, die nun eine rötliche Färbung annahm, bildete sich ein schäumender, blaßgrüner See. Einen Augenblick lang hörten alle Bewegungen auf. Stiller als es schon war, konnte es nicht werden, und doch schien es, als verdichte sich die Stille noch mehr, als würde sie untergetaucht in einem Element mit gefährlicherer, massiverer Intensität. Dann drehte Taads die Schale ein wenig mit einer merkwürdigen Bewegung der rechten Hand, während die Schale selbst in seiner linken Hand ruhte, schob sie zu Riezenkamp hin und verneigte sich. Auch dieser verneigte sich. Inni hielt den Atem an. Der Kunsthändler drehte die Schale zweimal (zweimal oder noch mehr? Er würde es später nie mehr sagen können, ebensowenig wie er imstande war, jemals die Fäden dieses inhaltsgeladenen Handlungsknäuels zu entwirren), hob sie zum Mund empor, trank zweimal, dann ein drittes Mal, wobei er ein leicht schlürfendes Geräusch hören ließ, betrachtete dann die Schale aufmerksam von allen Seiten, ohne sie allzusehr in die Höhe zu halten, richtete sie, während sie in seiner linken Hand ruhte, wieder mit dieser seltsamen Drehbewegung auf einen wirklichen oder imaginären Punkt und schob sie über die Matte hinweg dem Gastgeber zu.

Wie oft hatte er selbst, dachte Inni, das Wasser aus dem Krug in den goldenen Kelch gegossen, wonach der Priester das mit Wasser verdünnte Blut mit einer schnellen, schwenkenden Bewegung in dem goldenen Schimmer herumwirbelte, um dann den Kelch in einem einzigen kraftvollen, saugenden Zug leerzutrinken. Bei diesem letzten Abendmahl ging es nicht anders zu. Frisches Wasser aus dem Kessel, die Schale gereinigt, die gleichen Handlungen, die gleiche Verneigung, und nun war es Inni, der die lodernde, zerbrechliche Form in den Händen hielt und mit geschlossenen Augen trank, und noch einmal, bis er beim dritten Zug die Augen öffnete und die letzten grünen Tropfen aus dem dämmerigen, roten unzugänglichen Abgrund saugte. *Tuet dies zu meinem Gedächtnis.* Ebenso wie es Riezenkamp vor ihm getan hatte, betrachtete er die Schale von allen Seiten, als wolle er ihre Form auf ewig in seine Seele brennen, drehte sie dann in die Richtung, die nach seinem Ermessen die vorschriftsmäßige sein mochte, und schob sie zu Taads zurück, nahezu hastig, als könne er dadurch die Gefahr aus seiner Nähe bannen. Während er das alles tat, sah er, daß Taads' Augen auf ihn gerichtet waren, doch ob sie ihn sahen, wußte er nicht. Taads' Gesicht erstrahlte in unnahbarer Verzückung, als befinde er sich an einem Ort, der noch weiter entrückt und seltsamer war als derjenige, an dem seine Gäste auf den Knien hockten.

Sie verneigten sich. Dann erhob sich Taads, – wie immer in einer einzigen, in die Länge gezogenen Bewegung –, und trug den Löffel, den Deckel des Kessels und die Spülichtschale weg. Danach kam er zurück, um die lackierte Schachtel und die Raku-Schale zu holen. Als letztes brachte er schließlich das Wasser weg. Riezenkamp stand nun auf, und Inni folgte seinem Beispiel, allerdings mit Mühe, denn ihm waren die Füße eingeschlafen. Plötzlich überkam ihn ein Schwindelgefühl. Taads trat auf sie zu und drängte sie buchstäblich zur Tür.

»Wir danken Ihnen, Herr Taads, das war etwas ganz Besonderes«, sagte Riezenkamp.

Taads verneigte sich, antwortete jedoch nicht. Auf seinem Gesicht erschien ein Lächeln, fremd und fern, ein Lächeln, das alles Fernöstliche in diesem Gesicht zu betonen schien. Er kann nicht mehr Niederländisch sprechen, dachte Inni. Oder er will nicht. Jetzt sagte niemand mehr etwas. Taads verneigte sich noch einmal zum Abschied. Sie erwiderten die Verneigung, die Tür schloß sich hinter ihren Gestalten, sanft und entschieden.

11

Schweigend, wie zwei Diebe nach einem großen Einbruch, stiegen die beiden Männer die lange Treppe hinab. Draußen wartete der Sturm, und der Hagel versetzte ihnen einen Kinnhaken. Mit geschlossenen Mündern gingen sie durch den Sturm zu Riezenkamps Geschäft. Der Kunsthändler ließ das Schild GESCHLOSSEN an der Tür hängen, zog die Portieren an der Eingangstür zu und schenkte zwei große Gläser Maltwhisky – Rauch und Haselnuß – ein.

»Zu gegebener Zeit«, sagte er, und seine Stimme klang so müde, wie Inni sich fühlte, »werde ich Ihnen mal alles über die Teezeremonie erzählen. Alle diese Dinge haben ihre Geschichte und ihre Bedeutung. Darüber könnte man Jahre studieren.«

Er deutete mit einer unbestimmten Geste auf einen Schrank hinter sich, wo hinter der Gardine ganze Bücherreihen schimmerten.

»Vorläufig nicht.« Inni schüttelte den Kopf. »Mir reicht's.«

Sie tranken. Draußen heulte der Sturm in den kahlen Zweigen. Der Hagel schlug Löcher in das grabesdunkle Wasser der Gracht.

»Das war ein Requiem mit drei Herren«, sagte Inni.

Riezenkamp blickte auf und sagte: »Vielleicht hätte ich ihm die Schale nicht verkaufen sollen.«

»Unsinn!«

Inni zuckte die Schultern. Eine unsägliche Trübsal hatte ihn befallen. Wegen der beiden Taads, wegen des Schicksals, das seine eigenen Wege ging, wegen der verlorenen Jahre und wegen der Untauglichkeit der Welt. Er blickte auf seine Armbanduhr. Halb zwei.

»Ich will mal sehen, was sich heute an der Börse getan hat«, sagte er.

Riezenkamp lachte auf.

»Das kann ich Ihnen mit geschlossenen Augen sagen.« Er machte mit der Hand eine langsame, gleitende Bewegung nach unten. »Sauve qui peut«, fügte er dann hinzu.

Sauve meinen Hut, dachte Inni und verabschiedete sich.

12

In den nächsten Tagen verspürte Inni ab und zu Lust, bei Taads vorbeizuschauen, eigentlich aber war dafür der Abschied zu endgültig gewesen. Drei Wochen später bekam er einen Anruf, woraufhin er Riezenkamp anrief.

»Ich hatte eben die Wirtin von Taads an der Strippe. Sie habe ihn schon ein paar Tage lang nicht gesehen, aber das sei nichts Besonderes, denn er schleiche immer hin und her. So sagte sie es.«

»Ja . . . und?«

»Sie hat aber einen Brief von ihm bekommen, in dem stand, daß sie mich anrufen solle.«

»Und was sollte sie sagen?«

»Mehr stand nicht darin. Sie solle mich anrufen. Sie fragte, ob ich käme.«

»Und was sollen Sie da tun?«

Dreimal darfst du raten, dachte Inni, sagte es aber nicht. Er hörte einen tiefen Seufzer am anderen Ende der Leitung.

»Gehen Sie hin?«

»Ja, ich gehe jetzt gleich. Kommen Sie mit?«

»Na und ob!«

Gekonnt, wie jemand mit drei Silben das Selbstbewußtsein einer ganzen Klasse auszudrücken verstand. Sie trafen sich vor Taads' Tür und klingelten bei der Wirtin. Sie gab Riezenkamp den Schlüssel.

»Ich komm nicht mit«, sagte sie, »das ist nichts für mich.«

Falls Riezenkamp schon etwas ahnte, ließ er es sich nicht anmerken. Mit einer entschlossenen Bewegung drehte er den Schlüssel im Schloß und öffnete die Tür. Das Zimmer war leer, die Portieren waren aufgezogen, und niemand war zu sehen. Nur in der Mitte des Zimmers lag etwas, was – hundertfach zersplittert – nichts anderes sein konnte als die mit großer Kraft zerschmetterte Raku-Schale. Auf der goldig glänzenden Matte wirkten die Scherben wie Stücke geronnenen und getrockneten Blutes.

»Hier haben wir nichts mehr zu suchen«, sagte der Kunsthändler und schloß leise die Tür.

Einige Tage nachdem sie Philip Taads' Verschwinden gemeldet hatten, wurden sie von der Polizei von Ijmuiden vorgeladen, um eine Leiche zu identifizieren, die der gegebenen Beschreibung entsprach. Einen Augenblick lang starrten sie das blaue Ungetüm auf dem weißen Laken an und sagten dann: Ja, das ist Philip Taads.

Diesmal war es kein erfrorener, sondern ein ertrunkener Mann, der verbrannt wurde. Bernard Roozenboom begleitete Inni und Riezenkamp, obwohl niemand genau wußte, weshalb.

»Wir können ruhig sagen, daß ich verantwortlich bin, zumindest teilweise, weil ich dich zu Riezenkamp geschickt habe. Wenn ich richtig verstehe, hätte es dieser Teeist ohnehin getan, aber dann hättest du wenigstens nichts damit zu schaffen gehabt.«

Die Einäscherung fand in einer abscheulichen Gegend am Stadtrand von Amsterdam statt, in einer Gegend, wo sie noch nie gewesen waren. Bernards Landrover fuhr durch die leeren grauen Vorstädte voller Krankenhäuser und Fabriken.

»Nicht gerade der Weg zum Paradies«, sagte Bernard. Sie waren die einzigen. Der Sarg stand auf einem Sockel und war mit einem grauen Tuch bedeckt. Dazu vier Blumensträuße, – einer von Taads' Arbeitsstelle, Astern.

»Es findet kein Gottesdienst statt«, murmelte Bernard, und plötzlich erinnerte sich Inni, daß er Bernard Roozenboom ein einziges Mal bestürzt gesehen hatte. Das war in Florenz gewesen, viele Jahre zuvor.

Sie hatten bei Doney ausgiebig zu Mittag gespeist und streiften dann auf gut Glück durch die Stadt. Unversehens standen sie vor einem eindrucksvollen, nicht allzu großen Gebäude. »Guck mal, die Synagoge«, sagte Bernard, und sie gingen hinein. Nach der Üppigkeit der florentinischen Kirchen war das Interieur hier von wohltuender Einfachheit. Ein einziger Mann war anwesend, der totenstill vor sich hin starrte. Genau um fünf Uhr, als die Glocke der benachbarten Kirche die volle Stunde schlug, trat ein Mann in vollem Ornat ein und setzte sich. Auch er starrte vor sich hin. »O Gott«, hörte Inni Bernard sagen, »es ist Sabbat, und es findet kein Gottesdienst statt.« Als Inni ihn fragend anschaute, sagte er: »Wenn nicht zehn volljährige Männer anwesend sind, kann der Gazzan nicht anfangen.« Es blieb totenstill. »Wie lange bleiben die denn sitzen?« fragte Inni. »Eine Stunde«, lautete die Antwort. Im Laufe dieser Stunde kam es ihm so vor, als würde Bernard Roozenboom immer kleiner. Zwei Touristen traten ein, gingen aber erschrocken wieder hinaus. Nach einer Stunde stand der Gazzan auf und verschwand. Auch sie gingen hinaus. Bernard hatte darüber nie mehr ein Wort verloren. Inni auch nicht, aber das nur, weil er nicht wußte, was er hätte sagen sollen. Ein Mann in schwarzem Anzug kam auf Riezenkamp zu und fragte ihn etwas. Riezenkamp schüttelte den Kopf, nein, keiner wolle etwas sagen. Mit einem Klick lief ein Tonband an: die dritte Suite von Bach. Der Sarg war schon versunken, bevor sie zu Ende war. Die ganze Zeremonie, wenn man das so nennen konnte, dauerte fünf Minuten. Dann hatte die Welt mit Philip Taads abgerechnet. Als sie ins Freie traten, rieselte der Tote wie grauer, nasser Schnee auf die Schultern ihrer Mäntel nieder. Das einzige, was fehlte, war eine Taube.

In dieser Nacht träumte Inni von den beiden Taads. Der eine erfroren, der andere ertrunken, so erschienen sie am Fenster seines Schlafzimmers in einem Anfall unsinniger, barbarischer Fröhlichkeit, die Arme umeinander geschlagen, unhörbar johlend. Inni stand auf und lief zum Fenster, hinter dem nichts anderes zu sehen war als die schwankenden, skelettartigen, mit glänzendem Eis überzogenen Zweige der Bäume. Es gab somit unverkennbar zwei Welten: eine, in der die beiden Taads sich aufhielten, und eine, in der sie abwesend waren, und zum Glück befand er sich noch in der letzteren.

An dem Tage, der für die Selbsthinrichtung bestimmt war, lud Rikyû seine Lieblingsschüler zu einer letzten Teezeremonie ein... Einer nach dem anderen schreitet hin und nimmt seinen Platz ein. In der Tokonoma hängt ein Kakemono – eine wundervolle Handschrift eines alten Mönches, die von der Vergänglichkeit aller irdischen Dinge spricht. Der Kessel, der über dem Kohlenbecken siedet, zirpt wie eine Zikade, die ihr Leid dem scheidenden Sommer klagt. Bald betritt der Gastgeber den Raum. Jedem wird der Reihe nach der Tee gereicht, und jeder leert schweigend seine Schale, der Gastgeber zuletzt. Gemäß der hergebrachten Sitte bittet nun der Hauptgast um die Erlaubnis, das Teegerät zu besichtigen. Rikyû legt das Gerät vor sich hin und auch das Kakemono. Als alle seine Schönheit bewundert haben, schenkt Rikyû jedem der Gäste ein Stück zum Andenken. Allein die Schale hält er zurück. »Nie wieder soll diese Schale, von den Lippen des Unglücks entweiht, von Menschen gebraucht werden.« So spricht er und bricht die Schale in Stücke.

Kakuzo Okakura, Das Buch vom Tee

Inhalt

1 Intermezzo
7
2 Arnold Taads
33
3 Philip Taads
131

Cees Nooteboom
im Suhrkamp Verlag

Gesammelte Werke in neun Bänden

Alle Bände einzeln lieferbar. Gebunden

- Band 1: Gedichte. Übersetzt von Ard Posthuma und Helga van Beuningen. Herausgegeben von Susanne Schaber. 418 Seiten
- Band 2: Romane und Erzählungen 1. Übersetzt von Helga van Beuningen und Hans Herrfurth. 660 Seiten
- Band 3: Romane und Erzählungen 2. Übersetzt von Helga van Beuningen und Rosemarie Still. 601 Seiten
- Band 4: Auf Reisen 1. Von hier nach dort: Niederlande – Spanien. Übersetzt von Helga van Beuningen. Herausgegeben von Susanne Schaber. 605 Seiten
- Band 5: Auf Reisen 2. Europäische Reisen. Übersetzt von Helga van Beuningen und Rosemarie Still. Herausgegeben von Susanne Schaber. 607 Seiten
- Band 6: Auf Reisen 3. Afrika, Asien, Amerika, Australien. Übersetzt von Helga van Beuningen und Andreas Ecke. Herausgegeben von Susanne Schaber. 931 Seiten
- Band 7: Auf Reisen 4. Übersetzt von Helga van Beuningen, Andreas Ecke und Rosemarie Still. Herausgegeben von Susanne Schaber. 747 Seiten
- Band 8: Feuilletons. Übersetzt von Helga van Beuningen u.a. Herausgegeben von Susanne Schaber. 857 Seiten
- Band 9: Poesie und Prosa 2005-2007. Übersetzt von Helga van Beuningen, Andreas Ecke und Ard Posthuma. Herausgegeben von Susanne Schaber. 867 Seiten

Erzählungen und Romane

Allerseelen. Roman. Übersetzt von Helga van Beuningen. 436 Seiten. Gebunden. st 3163. 440 Seiten

Ein Lied von Schein und Sein. Übersetzt von Helga van Beuningen. BS 1024. 98 Seiten. 111 Seiten. Gebunden. st 2668. 110 Seiten

Die folgende Geschichte. Übersetzt von Helga van Beuningen. 147 Seiten. Gebunden. BS 1141. 146 Seiten. st 2500 und st 3405. 148 Seiten. st 3616. 160 Seiten. st 4065. Großdruck. 158 Seiten

In den niederländischen Bergen. Roman. Übersetzt von Rosemarie Still. 145 Seiten. Gebunden. st 2253. 146 Seiten

Kinderspiele. Erzählung. Übersetzt von Helga van Beuningen. 45 Seiten. Bütten-Broschur

Mokusei! Eine Liebesgeschichte. Übersetzt von Helga van Beuningen. st 2209. 74 Seiten

Nachts kommen die Füchse. Erzählungen. Übersetzt von Helga van Beuningen. 152 Seiten. Gebunden

Paradies verloren. Roman. Übersetzt von Helga van Beuningen. Gebunden und st 3808. 156 Seiten

Philip und die anderen. Roman. Übersetzt von Helga van Beuningen. Mit einem Nachwort von Rüdiger Safranski. Gebunden und st 3661. 160 Seiten

Der Ritter ist gestorben. Übersetzt von Helga van Beuningen. Gebunden, BS 1286 und st 3779. 150 Seiten

Rituale. Roman. Übersetzt von Hans Herrfurth. Gebunden und st 2446. 231 Seiten. st 2862. 232 Seiten. st 3931. Großdruck. 330 Seiten

Romane und Erzählungen. Aus dem Niederländischen von Hans Herrfurth, Rosemarie Still, Helga van Beuningen u. a. Broschur. 1227 Seiten

Roter Regen. Leichte Geschichten. Übersetzt von Helga van Beuningen. Mit Zeichnungen von Jan Vanriet. Gebunden und st 4246. 239 Seiten

Der verliebte Gefangene. Tropische Erzählungen. Übersetzt von Helga van Beuningen. Gebunden und st 3923. 108 Seiten

Nooteboom, der »Augenmensch«

Berliner Notizen. Übersetzt von Rosemarie Still. Mit Fotos von Simone Sassen. es 1639. 338 Seiten

Briefe an Poseidon. Aus dem Niederländischen von Helga van Beuningen. Gebunden. 224 Seiten

Die Dame mit dem Einhorn. Europäische Reisen. 302 Seiten. Gebunden. st 3018. 320 Seiten

»Ich hatte tausend Leben und nahm nur eins«. Ein Brevier. Übersetzt von Helga van Beuningen. Herausgegeben von Rüdiger Safranski. 190 Seiten. Gebunden

Der Laut seines Namens. Reisen durch die islamische Welt. Übersetzt von Helga van Beuningen und Rosemarie Still. st 3668. 230 Seiten

Im Frühling der Tau. Östliche Reisen. Übersetzt von Helga van Beuningen. st 2773. 344 Seiten

Nootebooms Hotel. Übersetzt von Helga van Beuningen. Gebunden und st 3387. 528 Seiten

Die Insel, das Land. Geschichten über Spanien. Übersetzt von Helga van Beuningen. Mit Fotos. 120 Seiten. Gebunden und it 4024. 115 Seiten

Paris, Mai 1968. Übersetzt von Helga van Beuningen. Mit Fotos von Eddy Posthuma de Boer. es 2434. 96 Seiten

Selbstbildnis eines Anderen. Träume von der Insel und der Stadt von früher. Übersetzt von Helga van Beuningen. 73 Seiten. Gebunden

Der Umweg nach Santiago. Übersetzt von Helga van Beuningen. Mit Fotos von Simone Sassen. st 3860. 427 Seiten

Wie wird man Europäer? Übersetzt von Helga van Beuningen. es 1869. 92 Seiten

Mit Cees Nooteboom um die Welt

Auf der anderen Wange der Erde. Reisen in den Amerikas. Übersetzt von Helga van Beuningen und Andreas Ecke. Herausgegeben von Susanne Schaber. st 3995. 300 Seiten

Eine Karte so groß wie der Kontinent. Reisen in Europa. Übersetzt von Helga van Beuningen und Rosemarie Still. Herausgegeben von Susanne Schaber. st 3994. 291 Seiten

Geflüster auf Seide gemalt. Reisen in Asien. Übersetzt von Helga van Beuningen. Herausgegeben von Susanne Schaber. st 3997. 288 Seiten

In der langsamsten Uhr der Welt. Reisen in Afrika. Übersetzt von Helga van Beuningen und Rosemarie Still. Herausgegeben von Susanne Schaber. st 3996. 242 Seiten

Leere umkreist von Land. Reisen in Australien. Aus dem Niederländischen von Helga van Beuningen. Herausgegeben von Susanne Schaber. st 3993. 179 Seiten

Schiffstagebuch – Ein Buch von fernen Reisen. Aus dem Niederländischen von Helga van Beuningen. Mit Fotos von Simone Sassen. Gebunden und st 4362. 283 Seiten

Venezianische Vignetten. Aus dem Niederländischen von Helga van Beuningen. Mit Fotografien von Simone Sassen. IB 1386. 119 Seiten

Gedichte

Gedichte. Ausgewählt, übersetzt und mit einem Nachwort von Ard Posthuma. 163 Seiten. Gebunden

Das Gesicht des Auges. Het gezicht van het oog. Zweisprachig. Übersetzt von Ard Posthuma. Gebunden und BS. 86 Seiten

Licht überall. Gedichte. Aus dem Niederländischen von Ard Posthuma. Gebunden. 106 Seiten

So könnte es sein. Zo kon het zijn. Zweisprachig. Übersetzt von Ard Posthuma. 128 Seiten. Gebunden

Über Cees Nooteboom

Der Augenmensch Cees Nooteboom. Herausgegeben von
Daan Cartens. st 2360. 300 Seiten

Heinz Peter Schwerfel. Hotel Nooteboom – Eine Bilderreise
ins Land der Worte. Umfangreiches Booklet. 96 Minuten.
fes 25